HERBERT REINECKER
KARWENNA EN DE MUSICI

KARWENNA

D0682982

In de
serie **KARWENNA**

pockets zijn reeds verschenen:

1. Moord in het park
2. De nacht van de Jaguar
3. Moord in het spel
4. Revolverschoten
5. Achter de laatste deur

Mochten er bij uw winkelier enkele titels niet meer voorradig zijn, dan kunt u deze bestellen door overmaking van Fl. 3,50 per deel (+, ongeacht het aantal delen dat u bestelt, Fl. 1,70 aan portokosten) voor België: Bfr. 60 (+ Bfr. 25) op gironummer 1166500 t.n.v. Uitgeverij De Vrijbuiter B.V., Noordstraat 77, 5038 EG Tilburg, met vermelding van titel en nummer.

HERBERT REINECKER

KARWENNA EN DE MUSICI

DETECTIVE-ROMAN

**Uitgeverij
De Vrijbuiter B.V.**

CLASSICS

KARWENNA-PAPERBACK NR. 6

Uitgeverij De Vrijbuiter B.V., Noordstraat 79, 5038 EG Tilburg.
Distributie: Betapress B.V. - Tilburg.
Zetwerk: Van Geloven B.V. - Riel.
(c) Copyright vertaling: Fimla - Tilburg.
(c) Copyright 1978 Bastei-Verlag Gustav H. Lübbe - Bergisch Gladbach.
Deze uitgave is tot stand gekomen in samenwerking met Bastei-Verlag Gustav H. Lübbe, Scheidtbachstrasse 23-31, 5060 Bergisch Gladbach 2 en Freibeuter Verlag GmbH - Achen, Duitsland.
Printed in Western Germany.
Vormgeving omslag: Atelier Blaumeiser, München.
ISBN 90 6232 911X

I

Een donkere, onvriendelijke novemberavond. Het had gere-
gend, er lagen grote plassen water op straat, waarin de lichten
weerspiegelden.

De voorbijgangers liepen gehaast, hun paraplu's tegen de
wind in. De wolken hingen laag, vlak boven de daken van de
huizen.

Karwenna was op de binnenplaats van het hoofdbureau van
politie net in zijn auto gestapt, hij had de ruitenwissers aange-
zet. Langzaam reed hij de Ettstraat in.

In zijn achteruitkijkspiegel zag hij, dat de portier hem ach-
terna was gelopen. De man riep, probeerde zijn aandacht te
trekken.

Karwenna draaide het raampje naar beneden.

"U bent toch kommissaris Karwenna?" vroeg de portier. "Of

u uw afdeling nog even wilt bellen."

Karwenna zette zijn auto aan de kant, liep terug en deed de deur van het portiershokje open.

Daar zat, een al wat oudere man met een dikke, rode neus, hij dronk thee uit een vaalwit porseleinen kopje. Naast hem op tafel stond een fles rum.

De man was duidelijk zwaar verkouden, spaarde zijn stem, en wees alleen maar op het telefoonstel.

Henk nam op. "Ik dacht, dat we je niet meer te pakken zouden krijgen. Jammer, dit kost je je vrije avond."

"Dat zie ik nog niet zo. Wat is er aan de hand?"

"Een moord in de Mandlstraat."

"Wat heb ik daarmee te maken?" vroeg Karwenna geërgerd, "mijn dienst is afgelopen."

"Dat heb ik ook al tegen Rotthauser gezegd."

"Waar is Wegener dan?"

"Die is voor een ander zaakje op pad. Volgens Rotthauser was er geen andere oplossing."

"Ik weet er wel een," zei Karwenna, "ze moeten meer mensen in dienst nemen."

"Wacht beneden op me," riep Henk opgewekt, "mijn vrije avond is namelijk ook naar de knoppe."

"Het spijt me, Helga, zei Karwenna, "ik sta hier bij de portier. Ze hebben me aangehouden. Een moord, waar ze niemand anders voor hebben."

"O," zei Helga woedend, "wie van je bazen moet ik hebben? Vertel eens? Die krijgt wat van me te horen."

"Ik vertel het hem zelf wel."

"Als je soms een argument te kort komt, zeg dan maar, dat ze op het punt staan een huwelijk kapot te maken. Beschadigd is het al."

"Is dat zo?" mompelde Karwenna.

6

Helga antwoordde niet, ze had al opgehangen.

Ook Karwenna hing op, draaide zich om en zag dat de oude portier hem zwijgend aankeek.

Hij maakte een uitnodigend gebaar naar de fles rum.

Waar is Wegener? vroeg Karwenna zich af. Of Hoffman? En over een uur zou Wollweber komen. Waarom werd hij nu juist met deze zaak opgescheept? Mandlstraat? Waar was die? Was dat niet in de buurt van die Engelse Tuin?

Hopelijk was het geen moord op straat. Het idee in de regen en de kou te moeten staan, maakte hem nog bozer dan hij al was.

Het leek of de portier zijn gedachten kon raden, hij wees nog eens naar de fles.

Karwenna zette de fles aan zijn mond en nam een flinke slok. De rum was scherp, het benam hem even de adem, maar toen brandde het als vuur in hem.

Wanneer had hij voor het laatst rum gedronken? Dat was al weer twee maanden geleden. Hij was met Helga in 'Traders Vic's' geweest, ze hadden "Mai Tai" gedronken. Na twee glazen had Helga hem stralend aangekeken en gezegd: "Kom laten we naar huis gaan." Ze had geglimlacht. "He," had Karwenna gezegd, "weet je hoe je lacht? Sorry hoor, maar als iemand, die mij persé in bed wil hebben." Haar lach had zich verdiept: "Dat is ook precies mijn bedoeling", had ze gezegd.

Helga reageerde altijd meteen op alcohol. Het was net of je een lucifer bij een stukje papier hield.

Henk kwam binnen, zag Karwenna met de fles rum in zijn hand. "Ik kan er niets aan doen", zei hij verontschuldigend. "Ik heb tegen Rotthauser gezegd, Karwenna zal razend zijn. Hij kon dat begrijpen en ik moest je hartelijk van hem groeten. Hij heeft het volste vertrouwen in je en in je plichtsgevoel. Mag ik ook een slok?"

7

De portier deed nu ook zijn mond open, hij kraste als een raaf en zei: "November", hij wachtte even, haalde opnieuw adem, nam een soort aanloopje en zei toen: "November moeten ze van de kalender schrappen."

"Aangenomen," zei Henk.

Buiten was het weer gaan regenen. Het was geen volle, krachtige regen, maar miezerige nattigheid die naar beneden waaide, als een sluiter, zacht en doordringend.

"Wat is er aan de hand?" vroeg Karwenna.

"Er is iemand doodgeschoten. Meer weet ik ook niet."

"Op straat?"

"Alsjeblieft zeg," zei Henk, "daar had ik nog helemaal niet aan gedacht. Het is niet te hopen."

Hij keek naar buiten in de novembernacht. Niets als glimmende natheid rondom, lichtreflexen in het natte raam. De wereld leek een donker aquarium, waarin auto's rondzwommen als blinde vissen.

"Daar is het", zei Henk.

Voor een gebouw stonden een paar politieauto's, de kleine fiat van de politiedokter dr. Schneider, de Volvo van de officier van justitie dr. Minks.

De regen viel nu loodrecht naar beneden, twee agenten in uniform, die met sombere gezichten de wacht hielden voor de ingang, waren doorweekt.

"We hebben geluk gehad," riep Henk. "Het is binnen."

Ze liepen snel de voortuin door, haastte zich een trap op om aan de in steeds heviger stromen neervallende regen te ontkomen. Ze hadden even een discussie met de twee agenten, die beslist hun legitimatie wilden zien.

Karwenna was al aan het werk. Dat wil zeggen, hij vormde zich een beeld van het huis en van de inrichting. Zijn hersenen noteerden van nu af aan ieder detail.

Hij registreerde: een modern gebouw, nog geen drie jaar oud, veel glas en beton. Binnen was het ruim en kleurig. De vloer bedekt met velours.

Witte muren, moderne schilderijen. Reprodukties? Nee, echte! Geen woonkamers. Het waren huiselijk ingerichte kantoren. De kamers waren erg licht. Neon? Nee, geen neon, moderne lampen, Italiaans ontwerp, heel lichte lampen. Er was een goede binnenshuisarchitekt aan te pas gekomen. Licht houten meubels, een kamer in Fins berken, een ander had de warme gloed van mahonie. Dichte kasten. Afgedekte schrijfmachines.

Henk wees met zijn hand: "Daar."

Een deur die openstond. De officier van justitie stond naast Merks, de officier van justitie was een jonge man met een somber gelaat. Hij keek bezorgd naar Merks, een bekwaam rechercheur.

Nu herkende dr. Minks, Karwenna en Henk.

"Hier is het", riep hij vroeg: "Gaat u zich met de zaak bezig houden?"

Zijn stem klonk niet erg uitnodigend. Dat was wel te begrijpen, want Karwenna en Minks hadden in het verleden n og al eens gebotst. Karwenna vond de jonge officier van justitie wat al te ambitieus. Typisch, dat hij al op de plaats van het misdrijf was. Karwenna had het ook als eens hardop uitgesproken: het is niet de plicht, die deze man naar de plaats van het misdrijf brengt, maar zijn nieuwsgierigheid.

Minks voelde die aversie van Karwenna waarschijnlijk wel, hij gedroeg zich altijd bijzonder stug en stijf wanneer hij met Karwenna moest samenwerken, stond eigenlijk altijd op zijn strepen. Ook nu had zijn gezicht weer die sombere uitdrukking, die het altijd had wanneer een moord een eind aan een mensenleven had gemaakt. Hij wees met een gebaar dat Karwenna irriteerde, omdat hij het theatraal vond, naar de kamer.

9

Een ruim vertrek. Donker, Afrikaans edelhout. Een sneeuw-wit tapijt. Ook hier moderne schilderijen aan de muur, groot formaat, smalle houten en metalen lijsten, punten, strepen, cirkels. Was dat niet Miró?

Tegelijk nam Karwenna waar, waar het eigenlijk om ging: Er lag een man op de grond voor het buro. De burostoel, waar de man waarschijnlijk in had gezeten, was achteruitgeschoven met een heftige beweging, zodat het kleed was opgeschoven. De man lag tussen de stoel en het buro,, was opzij gegleden en in die houding blijven liggen. Zijn benen lagen gespreid.

Dokter Schneider, de politiearts, stond net op, hij wendde zich tot Karwenna. Het was een al wat oudere man met een klein gezicht, rond en rimpelig als een verschrompeld appeltje. Dokter Schneider droeg een ouderwets brilletje en knipperde met zijn ogen.

"Hallo Karwenna", zei hij, hief zijn hand op en vervolgde onmiddellijk: "Hij heeft een schotwond in zijn rug, ter hoogte van zijn hart. De man heeft helemaal niet gemerkt, dat hij opeens dood was."

"In de rug geschoten", klonk de stem van de jonge officier van justitie vol afschuw. "Stel je eens voor!"

Nu wist Karwenna opeens, waarom hij de officier niet mocht: Hij reageerde emotioneel. Hij wond zich op, omdat de moordenaar iemand in de rug had geschoten. Wat was dat voor een opvatting van eer?

Karwenna zag dat er nog iemand in de kamer was, een man van een jaar of vijftig. Hij was tamelijk groot, breedgeschouderd, droeg een grijs flanellen pak met een bleekrode das. Hij had een vlezig gezicht, stevig. De man had zijn gezicht in bedwang, hij toonde zelfbeheersing. Hij had de blik naar beneden geslagen, als iemand die op die manier beter na kan denken.

Karwenna keek vragend naar de officier, die zijn blik onmiddellijk begreep: "Dat is meneer Potter, de eigenaar van dit kantoor."

De man in het grijs flanellen pak sloeg zijn ogen op, keek Karwenna met zijn blauwe ogen aan, boog zijn hoofd toen weer en keek naar de dode.

"Wie is het slachtoffer?" vroeg Karwenna.

Potter antwoordde: "Mijn procuratiehouder, de heer Wilke."

"Goed, laten we beginnen", zei karwenna. "Is dit een kantoor?"

"Ja," antwoordde Potter, "de hele beneden verdieping van dit gebouw is mijn kantoor. Zes kamers en nog een paar kleinere kantoren."

Potter keek Karwenna met een vaste blik aan. Hij had onmiddellijk begrepen, dat met Karwenna een hoofdpersoon op het toneel was verschenen en gaf hem nu zijn volle aandacht.

"Wat is het voor kantoor?"

"Ik heb een firma. Potter AG."

"Hoeveel mensen heeft u in dienst?"

"Op dit kantoor werken twaalf personen. Totaal zijn het er tweehonderd."

"Wat voor een firma is het?"

"Ik heb een aantal restaurants, bistro's, vermaakcentra, speelhallen."

"Juist," mompelde Karwenna, "en hier in dit kantoor?"

"Hier is de administratie."

"Karwenna wendde zich tot de politiedokter: "Wanneer is de dood ingetreden?"

"Ongeveer een uur geleden."

"Wie heeft het slachtoffer gevonden?"

De officier van justitie merkte tot zijn grote ergernis, dat hij

11

erbuiten werd gelaten en nam het woord: "Meneer Potter."

"Ja, ik," zei de man in het grijs flanellen pak, "ik kwam binnen," hij keek op zijn platte, gouden horloge, "een drie kwartier geleden en trof de heer Wilke aan zoals hij hier nu ligt. Ik heb onmiddellijk de politie gebeld."

"Is er een getuige van de moord?"

"Nee."

"Heeft iemand het schot gehoord?"

"Kennelijk niemand."

"Was het kantoor leeg?"

"Het kantoor sluit om vijf uur 's middags. Dan wordt het schoongemaakt door twee werksters, die hier tot zeven uur zijn. Om zeven uur sluiten ze af en geven dan de sleutel aan de huismeester."

"Waar is die huismeester?"

"Die woont hiernaast," antwoordde de officier, "hij is al ondervraagd. Hij heeft niets gehoord."

"Meneer Wilke was dus alleen op kantoor."

"Ja," antwoordde Potter, "ik had een afspraak met hem. Om acht uur."

"U beiden alleen?"

"Ja," knikte Potter.

"Meneer Wilke heeft een sleutel van dit kantoor?"

"Ja, hij heeft een eigen sleutel."

"Heeft u vaak afspraken met uw boekhouder buiten kantoortijd?"

"Ja, soms. Wanneer we niet gestoord willen worden."

"Niet regelmatig?"

"Nee. We spreken van tevoren af."

"Wanneer heeft u met de heer Wilke afgesproken?"

"Vanmiddag. Ik zei tegen hem: Het zou fijn zijn als we vanavond nog even met elkaar konden praten."

12

"Waar ging het over?"

"Een nieuwe zaak."

Potter wees naar het bureau, waar Wilke aan had gezeten. "Daar ziet u alle papieren. Tekeningen, omzetberekeningen, inlichtingen van de bank. Wilke was bezig alles door te nemen."

Karwenna wachtte even. Hij stond even peinzend te kijken, prentte de antwoorden in zijn geheugen, luisterde naar de stem van Potter, zocht naar bijzondere kenmerken. Klonk de stem nerveus? Onzeker? Verward?

Nee, beantwoorde hij zelf zijn vraag, Potter had een zware, kalme stem. Hij pauzeerde na iedere zin, er was geen gejaagdheid in te bespeuren, niets opvallends.

Wanneer Karwenna weer opkeek, had hij steeds de blik van Potter ontmoet, een rustige, vaste, wat peinzende blik.

Karwenna liep de kamer door. Hij haatte het om op één plek te blijven staan. Hij keek de kamer rond, probeerde op die manier vanuit elk punt een gevoel voor het perspektief te krijgen. Hij registreerde, dat er geen wanorde heerste, de kamer riep een gevoel van perfektie bij hem op. Het leek opeens heel ongeloofwaardig dat er in deze mooie, accurate kamer een moord was gepleegd.

De officier van justitie ergerde zich aan de onderbreking. "Ga door, ga door," zei hij ongeduldig.

Zonder acht op hem te slaan vervolgde Karwenna terwijl hij Potter aankeek. "U kwam hier dus tegen acht uur?"

"Ja, het was ongeveer rond acht uur, een paar minuten ervoor of erna." Hij voegde er na een korte pauze aan toe, alsof het van veel belang was: "Ik ben uiterst punctueel. Ik ben altijd op de minuut exact op mijn afspraak. Dat is bekend."

"Juist," zei Karwenna, "u arriveerde dus tegen achten voor dit gebouw. Met de wagen?"

"Ja, hij staat nog buiten. Vlak voor de deur."

13

"U ging naar binnen. De voordeur?"

"Stond open. Die staat altijd open. Er is wel een verzoek om de deur 's avonds af te sluiten, maar niemand neemt het zo nauw."

"Wat is er nog meer in dit gebouw?"

"Er zijn nog een paar kantoren. Maar ook particuliere woningen, drie of vier. Ik ken de mensen alleen vluchtig van gezicht. Als u het belangrijk vindt, moeten we het aan de huismeester vragen."

"Ga door," mompelde Karwenna. "De voordeur naar uw kantoor"

"Was open."

"Stond die open?"

"Nee, hij was niet op slot."

"Als hij niet op slot is, kan iedereen dus binnenkomen?"

"Ja, knikte Potter.

"Vertel eens", vroeg Karwenna aan Potter.

Potter begon zonder te aarzelen: "Het was licht op de gang. Ik wist, dat Wilke er al was. Dit hier is mijn kamer, de deur stond open. Onder het lopen trok ik mijn jas al uit en deed hem over mijn arm. Ik zei: "Sorry Franz. Wat een hondeweer. Toen was ik in de kamer en zag hem liggen."

"Heeft u hem aangeraakt?"

"Alleen om te kijken of hij nog leefde. Ik dacht eerst dat hij niet goed was geworden. Hij klaagde vaak over zijn hart. Ik dacht; misschien een infarkt."

Potter aarzelde. "Maar toen zag ik bloed."

Langzaam stak Potter zijn rechterhand uit, er zat bloed aan.

"Het duurde even voor ik twee dingen begreep. Ten eerste dat Wilke dood was en ten tweede, dat hij een gewelddadige dood was gestorven."

"Verder viel u niets op? U hoorde niets, zag niets wat ongewoon was en wat in dit verband belangrijk zou kunnen zijn?"

"Nee. Ik heb meteen de politie gebeld."

"Met dit toestel?"

"Ja, met dit toestel. Ik heb een zakdoek om mijn hand gedaan vanwege eventuele vingerafdrukken op de hoorn."

"Heel goed", mompelde Karwenna, aarzelde toen: "Hoe was uw verhouding met het slachtoffer?"

"Uitstekend. Vriendschappelijk." Hij dacht even na, voegde er toen aan toe: "Meer dan dat."

"Hoe, meer dan dat?" vroeg Karwenna.

"Broederlijk", antwoorde Potter kalm en voegde er aan toe; "Hij was als een broer voor me."

Er was een stilte gevallen. Karwenna hield zijn blik op Potter gericht, alsof hij probeerde hem te doorzien.

"Ik weet," ging Potter verder, "dat u bij uw verdere onderzoek deze bekentenis na zult trekken."

"Waarom denkt u dat?"

Potters stem klonk rustig toen hij als vanzelfsprekend zei: "Ik heb hem gevonden. De verdenking zal in de eerste plaats op mij vallen." Hij gaf Karwenna bijna een raad: "U hoeft dat niet te verbergen. Dat is niet nodig. Ik zou in uw plaats hetzelfde denken. Stel me de vragen maar, ik zal ze beantwoorden."

Karwenna zag dat de officier van justitie knikte. Hij was duidelijk onder de indruk van de houding van Potter en van zijn woorden. Hij knikte nogmaals en Karwenna dacht: hij is en blijft een stommeling.

Gemelijk zei hij: "Natuurlijk zal ik met alle aspecten rekening houden en ik beloof u, dat ik niets over het hoofd zal zien."

Karwenna zag de officier van justitie verstijven. Langzaam ging Karwenna verder: "Dit is uw kamer, zei u?"

Potter antwoordde langzaam: "Ja, het is mijn kantoor."

Ze keken elkaar nu strak aan.

15

"En meneer Wilke, uw procuratiehouder, zat aan uw bureau?"

Potter knikte.

"U draagt een grijs pak", zei Karwenna, "net als het slachtoffer."

Potters gezicht verstrakte, hij haalde diep adem, maar toonde toch geen verrassing.

"Het schot is niet van dichtbij gelost," zei Karwenna, "het lijkt aannemelijk dat de dader vanuit de deuropening heeft geschoten," hij sprak nu langzamer, "in de rug van een man, die aan uw bureau zit!"

Pauze. "Hoe groot is meneer Wilke?"

"Ongeveer mijn lengte."

Karwenna ging verder: "U heeft allebei dik, donker haar."

De officier van justitie maakt een verraste beweging. Opgewonden riep hij uit: "Ja, wat denkt u? Houdt u het voor mogelijk dat de dader helemaal niet de procuratiehouder dood wilde schieten, maar meneer Potter?"

"Wat denkt u?" vroeg Karwenna aan Potter.

Potter keek verrast op, zei toen langzaam: "Die gedachte is nog niet bij me opgekomen." Hij dacht na: "Maar er zit iets in. Ik bedoel, het is niet uitgesloten."

"Maar, maar," riep de officier uit, "dat werpt een geheel nieuw licht op de zaak. Bent u daar zeker van?"

"Nee," antwoordde Karwenna bijna voldaan, "zeker ben ik er niet van. Voorlopig moeten we het met veronderstellingen doen." Zijn stem kreeg een agressieve ondertoon. "Onderzoek, meneer de officier, doe je op de volgende manier: je verzamelt eerst de mogelijkheden, verder niets, alleen maar mogelijkheden.

Je kiest niet voor een. Voor de een kiezen en de andere verwerpen zou in dit stadium de grootste fout zijn die je kunt begaan. Dus", ging hij schoolmeesterachtig verder, "we zijn bezig mogelijkheden te verzamelen. En een van die mogelijkheden is, dat de dader helemaal niet meneer Wilke, maar meneer Potter wilde vermoordden."

Tot grote verbazing van de officier ging hij verder: "U kent Nietszche zeker wel. Nietszche zegt ergens: "Iedere mening is een vooroordeel." Hij glimlachte vaag: "Dat zou iemand haast verhinderen om er een te hebben, nietwaar?"

"Waarom deze controverse in aanwezigheid van een dode?" riep de officier uit en wees met een gebaar, dat Karwenna weer veel te theatraal vond, naar het lijk.

Potter, die de hele tijd naar Karwenna had gekeken, bewoog zich nauwelijks. Hij stond er ernstig, aandachtig en beheerst bij en Karwenna registreerde het eerste gevoel in deze zaak; Hij begon Potter sympathiek te vinden.

Karwenna stelde de gebruikelijke vragen. Had hij vijanden? Wat kon het motief zijn? Waren er dreigementen geuit? Waren er dingen geweest, die, als je ze bekeek, van belang konden zijn?

Potter beantwoordde alle vragen correct. Hij hield het hoofd wat gebogen, drukte daarmee grote geconcentreerdheid uit. Zijn stem vertoonde nog steeds geen opwinding, een zekere, sombere klank misschien, verdriet, meegevoel met de dode met wie hij zich, zoals hij had gezegd, broederlijk verbonden voelde.

Een man, dacht Karwenna, we hebben hier te maken met een man.

Het slachtoffer werd weggebracht. Potter keek kalm en somber toe en Henk gaf hem een hand en condoleerde hem.

Ook de officier toonde zich onder de indruk van Potter, hij knikte hem toe.

"Verzegelen," riep hij Henk toe, "alles verzegelen."

"Wilt u het kantoor sluiten?" vroeg Karwenna en liet duide-

17

lijk zijn geïrriteerdheid blijken.

"Hoezo, hoezo?" vroeg de officier.

"Ik heb het personeel morgen nodig, je kunt ze niet voor de deur laten staan. Het is voldoende dat het vertrek waar de moord gepleegd is wordt verzegeld."

"Dat bedoelde ik ook," riep Minks uit, hij snakte naar adem en keek Karwenna woedend aan.

Karwenna nam Henk opzij en riep ook Merks bij zich.

"Niets gevonden?" vroeg Karwenna zacht.

Merks begreep onmiddellijk wat Karwenna bedoelde en haalde met een spijtig gebaar zijn schouders op. "Het zit me zelf ook verschrikkelijk dwars", fluisterde hij, "maar ik kan hem gewoon niet vinden."

"Wat kan hij niet vinden?" vroeg Minks.

"De huls, de huls van de kogel", zei Merks, geïrriteerd, omdat Minks niet meteen begreep waar hij het over had. Merks ging verder: "Ik heb de grond centimeter voor centimeter afgezocht, maar niets gevonden."

"De huls?" vroeg de officier.

"Ja", zei Merks geduldig, alsof hij tegen een kind sprak, "de dader heeft naar alle waarschijnlijkheid hier bij de deur gestaan, half in de kamer, misschien ook nog buiten op de gang. En daar moet de huls te vinden zijn, tenzij de dader een revolver heeft gebruikt. Maar als we dat wisten waren we al een heel eind."

Henk dacht na: "Zou de dader de patroonhuls opgeraapt en meegenomen kunnen hebben?"

"Onwaarschijnlijk", mompelde Karwenna. "Maar als hij het heeft gedaan"

"Waarom gaat u niet door?" vroeg de officier, "dat was een heel goed idee van meneer Henk."

"Ik wilde zeggen," ging Karwenna verder, "dat de zaak dan

een andere dimensie zou krijgen."

Nijdig zei Minks: "Wat moet ik daar nou mee?" hij zuchtte diep en richtte zich tot Potter: "Kunnen we een van deze kamers gebruiken?"

Hij wachtte het antwoord van Potter niet eens af, liep meteen naar een van de aangrenzende kamers, draaide zijn hoofd om en zei ongeduldig: "Kom mee, Karwenna. Ik moet tenslotte mijn eerste proces verbaal afronden."

Karwenna keek om zich heen in het vertrek. Ook dit kantoor was zakelijk en strak ingericht. Je zag geen koffiepot, kopjes, kleedjes, theedoeken, geen bestek, geen bloempot en geen vergeten vestje. De schrijfmachine was afgedekt, een breed model, de overtrek was glimmend schoon. Een IBM. De stekker was eruit getrokken, opgerold. De kalender aan de muur, een kunstkalender, wees de datum van morgen aan.

Toch kon je het vertrek niet kil noemen. Ook hier hingen schilderijen aan de muur, moderne Fransen, felle kleuren, mimosageel, azuurblauw. De kamer was geraffineerd leeg.

"Wat nu?" vroeg Minks ongeduldig, op een samenzweerderig fluistertoontje, want de deur naar de gang stond nog open; "hoe staat de zaak er voor? Wat denkt u ervan?"

"Geen idee", antwoordde Karwenna.

"Ja, luister eens", riep de officier uit, "u kunt toch niet zeggen 'geen idee'?"

"Maar ik heb echt geen flauw idee. U kunt beter nog even wachten met alles opschrijven. Meer dan vaststellen dat hier iemand vermoord is kunnen we nog niet. We gaan nu naar huis."

"U provoceert me, kommissaris, zei de jonge officier. "U doet zich koelbloediger voor dan u bent. Ik weet" vervolgde hij opgewonden, "dat politiemensen onderling graag wedijveren, wie zijn afgestomptheid het beste kan laten zien. Ik vind zo'n houding bijzonder afkeurenswaardig en ongepast in de gegeven omstandigheden."

"Ik wil u niet boos maken," zei Karwenna, "maar er is hier werkelijk niets meer te doen."

"Geen verhoor?"

Karwenna herinnerde zich, dat Minks zijn ijver vooral graag toonde in allerlei eindeloze verhoren. Hij gunde zich geen moment rust en ging net zolang door tot hij werkelijk niet meer kon. Misschien had hij daarom wel zo'n zorgelijk uiterlijk gekregen.

Wat milder gestemd zei Karwenna: "Morgen beginnen de verhoren."

"En nu-? Nu niets?" Minks verhief zijn stem: "U heeft zelf een keer gezegd, dat de eerste acht uren de belangrijkste zijn bij een moordzaak."

"Niet altijd, meneer Minks."

Karwenna liet de officier van justitie staan, liep terug naar de gang en nam Potter apart.

"Heeft het slachtoffer familie?"

"Hij was niet getrouwd, geen kinderen. Hij woonde bij zijn zuster."

"Is zijn zuster al ingelicht?"

"Nee. Ik wilde er nu langsrijden."

"Ik ga mee", zei Karwenna.

Potter aarzelde, keek Karwenna peinzend aan. "Die vrouw is niet interessant voor u."

"Dat geeft niet," hield Karwenna aan, "u vindt het toch niet vervelend om me mee te nemen?"

"Helemaal niet", antwoordde Potter. Karwenna nam Henk even opzij: "Ik rijd met meneer Potter mee, neem jij mijn wagen en ga naar huis, ik neem wel een taxi."

Henk keek Karwenna aan, maar die schudde zijn hoofd.

"Het is niet belangrijk, ik wil alleen niets over het hoofd zien. Het slachtoffer woonde bij zijn zuster, misschien kom ik daar iets te weten."

De officier van justitie had afscheid genomen en liet duidelijk merken, dat hij het niet eens was met de gang van zaken. De aanwezige politiemensen vertrokken en de paar nieuwsgierigen die zich voor de ingang hadden verzameld, verspreidden zich nu ook.

★

De regen viel nog steeds in een dichte sluier naar beneden, de bomen langs de kant van de straat, druipten van de regen, ze zagen er donker uit, triest, alsof ze op een kerkhof stonden en hielden hun adem in.

Karwenna stapte bij Potter in zijn grote Mercedes. De wagen was donkergrijs, had een zwart leren bekleding. Het dashbord leek wel het dashbord in de cockpit van een vliegtuig. Potter nam soepel plaats achter het stuur. Een goede rijder. Dat zag Karwenna nog voor Potter een meter had gereden.

Ze zaten een poosje zwijgend naast elkaar. Het leek of Potter wachtte tot Karwenna het gesprek zou beginnen. Maar het kon ook zijn, dat het hem niets kon schelen of Karwenna iets zei of niets.

Potter leunde niet met zijn hoofd achterover, hij zat rechtop. Er ging zekerheid van hem uit.

Karwenna had dat zwijgen bewust gewild. Hij wilde het zolang mogelijk rekken, maar Potter reageerde niet. Zijn persoonlijkheid werd door het zwijgen alleen maar sterker.

"Mag ik roken?" vroeg Karwenna tenslotte.

"Geen bezwaar", antwoordde Potter, duwde de sigaretten-aansteker in, liet hem eruit springen en gaf hem aan Karwenna zonder zijn blik van de straat te wenden.

"U heeft een broer verloren, zei u", begon Karwenna.

"Ja," zei Potter, "we kennen elkaar twintig jaar. Van alle mensen die ik heb ontmoet, was hij degene op wie ik me het meest kon verlaten."

"Dat is heel wat," gaf Karwenna toe.

"Ja, dat is het zeker."

Potter wierp een vluchtige, maar opmerkzame blik op Karwenna.

"De meeste mensen", ging hij opeens verder, "hebben geen lijn. Ik bedoel, geen innerlijke lijn. De meeste mensen gaan door het leven als een vlinder, ze dartelen."

Potter keek Karwenna weer aan. Vreemd genoeg niet sarcastisch en lachend, zoals Karwenna had verwacht, maar met een heel ernstige blik.

"Uw meneer Wilke?"

"Geen vlinder," ging Potter verder, "hij is erin geslaagd zich rechtlijnig voort te bewegen. Daarom zeg ik, dat hij een man was op wie je je kon verlaten."

"Wat was hij? Uw procuratiehouder? Een zakenman dus?"

Potter haalde zijn schouders op. "Die etiketten zeggen me niets. Er is voor mij maar één kenmerk voor een bruikbaar iemand," hij haalde diep adem, "namelijk over hoeveel levensvitaliteit men beschikt."

"Wat verstaat u daaronder?" vroeg Karwenna. Hij was hevig geïnteresseerd en was zo gaan zitten, dat hij Potter aan kon kijken.

"Ik bedoel de voorraad levensenergie die hij in staat is in te zetten. Wie daar genoeg van bezit, kan alles worden. Zakenman, procuratiehouder of burgemeester van München."

Weer keek Potter naar Karwenna, alsof hij een geamuseerde reactie verwachtte. Maar Karwenna zweeg, zat peinzend voor zich uit te staren. Hij luisterde naar de stem van Potter. Hij had Potter zover gekregen wat persoonlijke meningen te geven. Dat vond hij belangrijk.

Hij dacht na, zag het toneel voor zich. Hij hield ervan om zich later de situatie nog eens voor de geest te halen, vanuit de verte, zonder de storende aanwezigheid van details.

"Mag ik u nog een paar vragen stellen?"

"Natuurlijk", knikte Potter.

"Ik wil de situatie zoals u die heeft aangetroffen nog eens nalopen. U deed dus de deur van uw kantoor open en ging naar binnen. Brandde het licht op de gang?"

"Ja, het licht brandde", antwoordde Potter.

"Dat is heel belangrijk", ging Karwenna verder, "brandden alle lampen?"

"Heeft u het over de gang?"

"Ja, over de gang. Ik heb gezien, dat bij de ingang twee schakelaars zijn. Het voorportaal wordt apart verlicht."

"Ja," zei Potter.

"Wat brandde er, toen u binnenkwam?"

"Het portaallicht."

"Het eigenlijke ganglicht brandde niet?"

"Nee. Wilke deed 's avonds nooit al het licht aan."

Potter reed langzamer, had zijn hoofd opzijgedraaid om

Karwenna aan te kijken.

"De gang was dus niet erg helder verlicht?"

"Nee."

"De deur naar uw kantoor stond open. Ver open?"

"Ja, ver open."

"Vanuit uw kantoor viel er dus een brede straal licht op de gang."

"Ja."

"Welk licht brandde in uw kantoor?"

"De bureaulamp."

"Verder niets?"

"Nee," antwoordde Potter, voegde er toen aan toe: "Ik heb daarna overal het licht aangedaan. Ik ben alle kamers doorgegaan en heb het licht aangedaan, tot het overal brandde."

"Goed," zei Karwenna en glimlachte vaag. "Laten we ons nu de moordenaar voorstellen. Ik verplaats me graag in zijn rol."

Potter keek Karwenna oplettend aan.

"Op die manier krijg je een betere kijk op de situatie", vervolgde Karwenna. "Goed, ik ben nu de moordenaar. Ik loop het gebouw binnen. Ik ben nu op de gang. Op de trap niets, geen mens te zien. Ik ben gespannen, aarzel nu, sta voor de deur van het kantoor. Ik doe de deur open, die is niet op slot, daar had ik op gerekend."

Karwenna viel zichzelf in de rede. "Is de deur van het kantoor altijd open?"

"Tijdens kantoortijd altijd. We hebben altijd veel bezoekers, het loopt bij ons in en uit. En Wilke verwachtte mij immers vanavond. Hij heeft de deur opengelaten."

"Goed," zei Karwenna, "ik, de moordenaar, doe dus de deur open, die geluid maakt."

Potter trok verbaasd zijn wenkbrauwen op. "Ja, dat is waar. De deur klemt een beetje, je hoort een zacht, krakend geluid."

"Ja, het is niet erg hard," knikte Karwenna, "de moordenaar heeft zich er in ieder geval niet door van de wijs laten brengen." Karwenna keek op: "Misschien kende hij het geluid wel en was hij erop voorbereid."

Potter knikte zwijgend.

"Goed dan," ging Karwenna verder, "ik ben dus de moordenaar. Ik sta nu in het portaal, kijk de gang in, die niet verlicht is. Een deur staat open, wijd open. Een brede baan licht valt in de donkere gang. Ik heb het wapen in mijn hand..."

Karwenna keek Potter nu niet meer aan. Potter reed steeds langzamer, stopte tenslotte langs de stoeprand, draaide zich naar Karwenna, zijn handen nog steeds op het stuur.

"Ik stap in het licht van de deuropening, kijk de kamer in, zie het felle licht van de bureaulamp, voor dat licht de schaduw van een man in tegenlicht, alleen de rug, het hoofd, het donkere haar. De geplande moord maakt me nerveus, ik ben gespannen. De tijd dringt, ik controleer niet lang, ik denk zijn kamer, zijn bureau, zijn stoel. Ik denk, hij is het en schiet."

Karwenna's hand bewoog, alsof hij hem wilde heffen.

Hij keek op, keek Potter aan, vertrok zijn gezicht: "Sorry."

"Waarom?" vroeg Potter. "Doet u dat altijd zo?"

"Ja," knikte Karwenna, "ik probeer me altijd in de moordenaar te verplaatsen." Hij glimlachte: "De methode is even simpel als succesvol. Je komt op details. En die details zijn het die een moordenaar tenslotte de das omdoen."

Potter stond nog steeds stil langs de stoeprand. De ruitenwissers zwaaiden heen en weer.

"Uw methode is zeker niet slecht," zei Potter en voegde er kalm aan toe: "U denkt dus dat het schot niet voor mijn procuratiehouder maar voor mij bestemd was?"

"Laten we zeggen," zei Karwenna, "die mogelijkheid dringt zich bij me op. Ik verzet me er nog tegen, maar niet zo sterk meer."

Potter zag er opeens heel ernstig uit.

"Goeie God", zei hij toen, "zoals u dat net afschilderde, u heeft gelijk. Het is duidelijk. De moordenaar heeft niet Wilke bedoeld, hij heeft mij op het oog gehad."

Die overtuiging schokte Potter hevig. Hij knikte een paar keer. "Goeie God, ja," zei hij steeds weer. "Wilke en ik zijn al zo vaak met elkaar verwisseld." Hij glimlachte zwak. "Ik zei al, dat we net broers waren, hè? We hadden het ook qua uiterlijk kunnen zijn."

Potter zat opeens verslagen achter het stuur, schudde hulpeloos zijn hoofd.

"U heeft gelijk. Die kogel was voor mij bedoeld, ik geloof het nu ook."

Potter reed weer weg, de straat op. Hij reed langzaam alsof hij zich helemaal op zijn gedachten wilde concentreren.

"U heeft gelijk," zei hij weer," de moordenaar is op de gang in het halfdonker, hij kijkt in mijn kantoor, in mijn kamer. Ik zit aan het bureau, de bureaulamp werkt als tegenlicht. Ik zit aan het bureau, voor de moordenaar ben ik het, die daar zit. Hij richt zijn wapen en schiet..."

Hij keek Karwenna van opzij aan, grijnsde plotseling, alsof hij zich in een absurde situatie bevond en met een moeizaam lachje probeerde hij zijn zelfvertrouwen weer te herstellen.

"Wie kan het gedaan hebben?" vroeg Karwenna, "heeft u vijanden?"

"Man, man," mompelde Potter, "wie heeft er geen? Iedereen heeft vijanden, de een wat meer, de ander minder. Iedereen is wel eens door iemand verwenst." Hij lachte zwak. "Ik vast meer dan een normaal mens."

Potter reed nu de Ingolstadterstraat in en stopte voor een modern flatgebouw. Het gebouw was nog zo nieuw, dat de

straat nog niet klaar was. De wagen stopte tussen de zandho-
pen.

Karwenna stapte uit, keek Potter aan. Potter verloor nu zijn
zelfverzekerde houding, hij haalde diep adem en zei tenslotte:
"Ik ben blij, dat u erbij bent."

Potter was aangedaan, hij deed pogingen om Karwenna voor
te laten gaan, stond een poosje voor de naambordjes met bellen.

"Een afschuwelijk moment," mompelde Karwenna, "ik heb
het tamelijk vaak moeten doen en ik ben er nog steeds niet aan
gewend. Welke knop is het?"

"De derde van boven."

Karwenna drukte op de knop. Even later klonk er geruis
door de intercom en een meisjesachtige stem, noemde een
naam.

"Hier is Ewald," zei Potter.

"Oh," antwoordde de stem. "Zijn jullie er al?" Tegelijkertijd
hoorde je de deurzoemer. Potter duwde de deur open.

De stem sprak verder: "Jij komt toch ook nog boven,
Ewald?"

"Ja, ik kom mee."

"Fijn."

Potter deed zwijgend de deur open, liet Karwenna voorgaan
en deed het licht aan. Brede traptreden van travertin, heel
smalle voegen. Een portaal met stoelen als in een foyer van een
hotel. Een tafeltje met tijdschriften.

"Allemaal appartementen?" vroeg Karwenna.

"Ja," zei Potter. "Het is tamelijk nieuw en, zoals u ziet, luxu-
eus."

"Ja. Goede smaak is duur", antwoordde Potter, die inmiddels de lift naar beneden had gehaald. De lift was van binnen
met mahonie afgetimmerd, op de vloer lag een anthracietkleu-

27

rig tapijt, dat de voetstappen dempte.

Potters gezicht behield de strakke, verdrietige uitdrukking. De deur ging open en Karwenna zag een een vrouw van een jaar of veertig, heel smalle schouders, een lange hals, een gezicht met grote, stralend bruine ogen. De vrouw lachte, ze had mooie witte tanden.

"Hallo," zei ze, toen ze Potter zag met een man die ze niet kende. "Waar is Frans?"

"Dit is iemand van de politie," Potter wees op Karwenna: "Mogen we verder komen?"

De jonge vrouw scheen haar adem in te houden, haar glimlach verdween langzaam.

"Ja, natuurlijk."

Ze gingen de flat binnen, een plotseling zwijgend groepje mensen. Karwenna dacht: Ze voelt iets. Ze draaide zich nu om, haar gezicht strak, een angstige blik. Ze liet de heren in een woonkamer.

"Ik wil je graag alleen spreken", zei Potter met een stem, die iets dieper klonk dan eerst en tot Karwenna, "wacht u hier een ogenblikje?"

Potter raakte de arm van de vrouw aan en nam haar mee naar een zijvertrek. Ze plaatste haar voeten automatisch voor elkaar, alsof het juist Potters bezorgdheid was, die haar van streek maakte.

De deur sloot zich achter hen.

Karwenna keek om zich heen. Het was een grote kamer, hij schatte ongeveer 50 m^3. Een open haard, gemetseld van een handvormsteen, met een zware houten balk erboven. De inrichting getuigde van dezelfde smaak als op het kantoor: brede witte vlakken, enkele schilderijen opgehangen op de snijpunten van grafische lijnen. Kleurige vloerbedekking, mosterdgeel en roestrood.

Karwenna dacht: Wie heeft er zo'n smaak? Is het Potter? Dan heeft Wilke die dus ook, zijn procuratiehouder. Maar heeft hij niet zelf gezegd, dat Wilke meer een soort broer was?

Er klonk geen geluid uit het vertrek ernaast. Karwenna had zich erop voorbereid een schreeuw te horen, gehuil, maar de deur bleef dicht en het bleef stil.

God, dacht Karwenna, hoe vaak was hij al niet de brenger van slecht nieuws geweest. Iedere keer was het weer anders.

Aardige vrouw, dacht Karwenna, slank, tenger, niet te lang. Ze droeg een grijze rok, daarboven droeg ze een witte bloes met lange manchetten. Een parelkettinkje, kort, beschaafd. Karwenna dacht: ze past in deze flat, ze past hier uitstekend. Nu ging de deur open. Potter kwam naar buiten en deed de deur meteen weer achter zich dicht.

"Ik hoop niet dat u haar wilt spreken. Dat is onmogelijk, uitgesloten. Misschien morgen, maar nu beslist niet."

Zonder een antwoord af te wachten liep Potter naar de telefoon, draaide een nummer terwijl hij Karwenna aankeek: "Ze kan niet alleen blijven. Ik zal mijn vrouw vragen om hierheen te komen."

"Weet die het dan al?" vroeg Karwenna nuchter.

Potter leek te aarzelen. "Nee," mompelde hij en haalde even diep adem alsof het hem even teveel werd. Hij staarde Karwenna aan, zei niets, hoewel iemand aan de andere kant al had opgenomen.

"Met Ewald. Helene?" Hij aarzelde, woog elk woord. "Ik bel bij Eva vandaan. Kun je hier naar toe komen?"

Hij schudde zijn hoofd, weerde kennelijk een verbaasde vraag af. "Nee, ik luister, wacht even."

Hij bedekte de hoorn met zijn hand en wendde zich tot Karwenna. "Zou u me een plezier willen doen? Haalt u mijn vrouw op en vertel het haar. Ik kan het nu niet zeggen. Bovendien ben

29

ik bang, dat ze zo schrikt van de boodschap dat ik bang ben om haar auto te laten rijden."

"Geef me het adres maar," zei Karwenna.

Potter bedekte de hoorn weer.

"Helene, luister, je wordt door iemand opgehaald. Het is iemand van de politie, zijn naam is," hij keek Karwenna aan, "Karwenna, kommissaris Karwenna," hij keek weer vragend naar Karwenna.

Karwenna knikte.

"Ik stuur hem naar je toe," kennelijk werd er weer iets gevraagd. "Nee, nee, meneer Karwenna zal je wel vertellen wat er aan de hand is." Hij zuchtte, luisterde en zei toen hardop: "Ja, er is iets gebeurd. Wacht maar tot je het hoort."

Hij hing op, veegde met zijn hand over zijn gezicht. Hij scheen een paar seconden nodig te hebben om zijn zelfbeheersing weer terug te krijgen. Maar hij verloor geen moment het overzicht op de situatie. Hij haalde een visitekaartje uit zijn zak en gaf het aan Karwenna.

"Gaat u maar. Hier zijn de autosleutels. Ik moet weer naar binnen."

Hij liep naar de deur, draaide zich nog een keer om, alsof hij nog iets erg belangrijks kwijt moest: "Ze hadden een broer-zus verhouding, die je maar zelden tegenkomt."

Behoedzaam deed hij de deur open en verdween weer.

Karwenna ging met de lift naar beneden, deed de auto open en reed weg.

Het weer was geen cent verbeterd. De lucht was nat en koud. Nevelsluiers verminderden het zicht. Het verkeer was nog druk. Vroeger, dacht Karwenna, had je tenminste 's nachts nog lege straten, maar nu was het al haast zo ver dat je ook 's nachts bumper aan bumper reed.

Karwenna voelde iets van eenzaamheid, in een vreemde

auto, door straten die hij niet kende, hij voelde de last van een dode, die van nu af aan op zijn bureau zou liggen. Het was zo'n vaste uitdrukking tussen hem en Henk: Ik heb een dode op mijn bureau liggen. Zelfs Helga, Karwenna's vrouw, was intussen aan die zin gewend geraakt, gebruikte hem zelfs af en toe, wat Karwenna eigenlijk niet goed kon hebben. Hij dacht: die gewenning, wat is dat voor een proces? Hoe komt dat?

Hij had er eens met een criminoloog over gesproken. Die had hem verbaasd aangekeken en gezegd: "Wat wilt u? Gewenning is een fenomeen en als zodanig een natuurwet. Als de gewenning niet bestond dan zou de mensheid alles niet overleefd hebben."

Nou ja, dacht Karwenna, dan moeten we er ook maar aan wennen, dat de straten 's nachts net zo vol zijn als overdag, dat je mensen alleen nog maar in hun auto's ziet, dat ze elkaar af en toe in de rug schieten. En wen vooral aan de motieven, die de mensen tot zoiets brengen, dacht Karwenna.

Hij probeerde de straatnamen te ontcijferen, wat niet eenvoudig was. Want het was gaan waaien, waardoor de lantaarns schudden. Hij reed door een wat ouder deel van de stad, waar de lampen nog midden boven de straat hingen.

En tegelijk dacht hij: motieven. Ze wisselen voortdurend. En er zijn er meer dan je je kunt voorstellen. Motieven die gisteren nog onschuldig waren, geen enkele betekenis hadden en nu zo sterk waren, dat ze de mensen tot moordenaars maakten.

Er kwam een beeld in hem op. Hoe had Potter het gezegd: "De meesten dartelen door het leven als vlinders. Wilke is erin geslaagd zich rechtlijnig voort te bewegen."

Rechtlijnig, wat is dat? Vroeg Karwenna zich af.

Hij reed een straat in met aan weerszijden villa's. Je kon de huizen niet meer zien. De tuine waren omgeven door dichte begroeiing. In de verte zag je hoge, glimmende daken.

31

Karwenna was ineens nieuwsgierig wat hem te wachten stond.

"Haal mijn vrouw op", had Potter gevraagd, maar aarzelend, op een manier alsof hij het eigenlijk liever niet vroeg.

Het tuinhek stond open. Op de muur brandde een lantaarn, die het natte asfalt belichtte. Karwenna reed het terrein op, in het licht van de koplampen zag hij struiken, een nat grasveld, dat geen kleur meer had. De voordeur van de imposante villa stond open. Op de drempel stond een jong meisje. Ze beschermde haar ogen tegen het felle licht van de koplampen. Blond, zag Karwenna, lang blond haar, als een gouden vlek in het natte duister, glinsterend en stralend.

Karwenna stapte uit.

Het meisje droeg een kleurige rok met Afrikaanse motieven, daarboven een wit bloesje, dat op de juiste manier en plaats rondingen liet zien. Beeldschoon, dacht Karwenna. Het meisje zag eruit als melk en bloed, een heel wit gezichtje, niet vaalwit, maar stralend wit. Een heleboel tegelijk, dacht Karwenna, schoonheid, jeugd - duidelijk overglansd door rijkdom. Een schitterend decor, dacht Karwenna, een reusachtig decor dat die machtige stenen zuilen daar vormden.

"Meneer Karwenna?" vroeg het meisje. "Ik ben Claudia Potter. Bent u met de wagen van mijn vader?"

Karwenna maakte dat hij onder het beschermende afdak kwam. "Ja, uw vader heeft me zijn wagen gegeven."

"Wat is er dan aan de hand?" vroeg het meisje. "Heeft hij niet bij Wilkes vandaan gebeld?"

"Jawel."

"Mijn moeder probeert steeds te bellen. Ze was ongerust door het telefoontje, maar er neemt niemand meer op."

Ze gingen naar binnen.

Een grote ronde hal, dat een geheel vormde met het buitenportiek. Niet slecht, dacht Karwenna, die gevoel had voor geslaagde architectuur. Er ging een deur open en hij zag een vrouw van een jaar of vijfenveertig. Verzorgd grijs kapsel boven een smal gezicht, een bijna teer voorhoofd, dat een bijzondere indruk op Karwenna maakte. Hij had de neiging om haar kinderlijk te noemen, maar dat was maar een nuance van zijn totale indruk. Later vond hij de juiste woorden pas: reinheid, puurheid en waardigheid. Een mengeling van die drie begrippen. Dat was het wat deze vrouw uitdrukte. Ze was een dame. Ze hield het hoofd geheven, keek Karwenna aandachtig aan, stak haar hand op een afgemeten manier uit.

"Er is iets gebeurd, nietwaar?"

"Ja," zei Karwenna.

"Komt u verder, alstublieft," vroeg de dame en ging voor. Ze gaf Karwenna geen enkele kans om zijn boodschap meteen kwijt te raken. Een ritueel, dacht Karwenna. Er wordt een slechte boodschap verwacht, maar die hoor je niet aan in de deuropening.

Een grote hal, maar niet te groot, hoogte en breedte waren in verhouding. De ruimte was maar schaars gemeubileerd, maar de meubels, die Karwenna zag, maakten hem meteen duidelijk hoe kostbaar ze waren.

Het is Potter, dacht hij. Potter heeft die geweldige smaak.

Mevrouw Potter draaide zich om, alsof ze wilde zeggen: nu is het ogenblik aangebroken, zegt u het maar.

Karwenna zei het zo nuchter mogelijk, dat een onbekende dader het kantoor was binnengedrongen en met één schot de aan Potters bureau zittende Wilkes had doodgeschoten. Hij vertelde, dat Potter, die een afspraak had met zijn procuratiehouder op kantoor, even later was gekomen, de dode had gevonden en onmiddellijk de politie had gebeld.

Mevrouw Potter had tijdens het verhaal langzaam haar handen geheven, ze in elkaar geslagen en langzaam steeds hoger geheven tot haar borst. Haar gezicht was asgrauw. Ze leek verstijfd.

Het jonge meisje had naast Karwenna gestaan en een impulsieve schrikbeweging gemaakt.

"O God," had Claudia uitgeroepen, "meneer Wilke? Dood?"

Haar reactie deed Karwenna goed, omdat die normaal was. Bezorgd keek hij mevrouw Potter aan en dacht: Hopelijk valt ze niet op de grond.

Mevrouw Potter haalde een paar keer diep adem. Haar blik, die heel dof was geworden, kreeg weer wat diepte en glans. Ze liet haar handen weer zakken en het scheen dat ze over de eerste hevige schok heen was.

"Ik begrijp het," zei ze. "Mijn man is meteen naar Eva Wilke gegaan, natuurlijk. Dat moest hij wel. En hij moet er ook blijven. Hij kan daar in geen geval weggaan."

Nu streek ze met haar hand langs haar mond, haar voorhoofd.

"We kunnen meteen weg", zei ze, "ik moet er ook naar toe. Dat heeft mijn man goed gezien."

Het leek of ze nu pas merkte dat haar dochter ook in de kamer was. Ze keek haar diep bewogen aan, liep naar haar toe, raakte haar aan: "Een moord, kind, een moord."

Ze sprak het woord uit alsof het om iets absurds ging. Het leek wel of haar mond gewoonweg weigerde om het woord normaal uit te spreken.

"Wie kan er nu zoiets doen?" fluisterde Claudia Potter ontdaan, "is er ergens een verklaring voor?"

"Nee, tot nu toe nog niet", antwoordde Karwenna.

"En Wilke", zei mevrouw Potter, "iemand die de goedheid zelf was, die niemand ooit kwaad heeft gedaan, die alleen maar uit zorgzaamheid bestond."

Karwenna zei opeens, zonder na te denken: "De mogelijkheid bestaat, dat het helemaal de bedoeling niet was om hem te vermoorden, maar uw man. Meneer Wilke zat aan het bureau van uw man, de verlichting was zodanig, dat een verwisseling heel goed denkbaar is."

Mevrouw Potter keek Karwenna ontsteld aan.

Claudia slaakte een kreet van schrik.

"Wat zegt u?" fluisterde mevrouw Potter.

"Ik zei, dat het denkbaar is", ging Karwenna verder en verweet zichzelf, dat hij erover begonnen was. "Vindt u het zo ondenkbaar?"

Mevrouw Potter was van haar stuk gebracht, kon niet meer helder nadenken. Claudia antwoordde in haar plaats. "Het is heel goed denkbaar," riep het meisje uit, "mijn vader heeft een hoop vijanden. Wilke helemaal geen."

"Nou ja," zei mevrouw Potter zacht, "wat u daar zegt, maakt me niet bepaald rustiger." Ze wendde zich tot Claudia: "Waar is Hans?" Verduidelijkend zei ze tegen Karwenna: "Mijn zoon."

"Hij is boven op zijn kamer."

Claudia riep naar boven: "Hans kom eens!"

"Vertel het hem voorzichtig", zei mevrouw Potter nu tegen Karwenna: "Hij is nogal gevoelig. Een gewelddaad is iets vreselijks voor hem."

Bovenaan de trap verscheen een jongeman. Karwenna registreerde: zeventien, achttien jaar, tenger, sportief, donker haar. Hij had hetzelfde donkere haar als zijn vader. De jongeman keek naar beneden, alsof de algemene opwinding hem opviel.

Mevrouw Potter riep: "Er is iets vreselijks gebeurd, Hans. Ik moet direkt weg. Claudia zal je alles wel vertellen."

Ze pakte Karwenna's arm, alsof opeens de impuls om te vluchten te sterk was geworden.

"Kom mee," zei ze vlug, liep gehaast door de hal en ging naar de wagen toe.

Karwenna had moeite om haar bij te houden en het portier voor haar open te doen.

"Wilt u geen jas aantrekken?" vroeg Karwenna.

"Een jas," zei ze opeens op klagende toon, "god, dat is nu toch volkomen onbelangrijk?"

Bij het hek vroeg ze Karwenna om te stoppen.

"Naast de ingang is een intercom", zei ze. "Vraag mijn dochter of ze het hek laat sluiten."

Karwenna gaf de boodschap door, ging weer achter het stuur zitten en reed weg.

Mevrouw Potter zat achter hem. Ze hield haar smalle hand voor haar mond alsof de hele ontstellende waarheid nu pas tot haar doordrong.

"U denkt dus dat Franz Wilke in mijn mans plaats is doodgeschoten?"

"Het is mogelijk", zei Karwenna. Hij had er opnieuw spijt van dat hij zijn vermoeden hardop had geuit.

Nijdig dacht hij aan de officier van justitie, die hem ertoe had gebracht dat hij een van de mogelijkheden zo snel al te sprake had gebracht.

"O ja," zei Helene Potter, "mijn man heeft tamelijk veel vijanden."

"Heeft u een concrete verdenking?"

"Nee, alstublieft," fluisterde ze ontdaan, "mijn man laat mij helemaal buiten zijn zaken. Hij is zo bezorgd voor me, hij valt me nooit lastig met problemen."

Ze begon nu te beven, trok haar schouders naar elkaar toe en probeerde zich te beheersen.

Haar gedachten gingen nu uit naar Eva Wilke.

"Arm kind," fluisterde ze, "haar broer is het enige wat ze heeft in haar leven. Weet u, de relatie tussen haar en haar broer."

Karwenna viel haar in de rede. "Ik heb het al gehoord. Die was heel goed."

"Die was ideaal. Ze hingen aan elkaar zoals alleen een broer en een zus aan elkaar kunnen hangen. Ze waren altijd heel bezorgd voor elkaar. Weet u, dat hij daarom niet getrouwd is?"

"Waarom?"

"Hij wilde zijn zuster niet alleen laten. Daar is natuurlijk een verklaring voor, een heel tragische: De ouders van Franz en Eva Wilke zijn bij een vliegtuigongeluk om het leven gekomen. Hij was toen zeventien, Eva was veertien. Daardoor zijn ze erg aan elkaar gehecht geraakt. Franz was voor zijn zuster vader en moeder tegelijk."

Ze glimlachte: "Sinds die tijd zijn ze altijd samen geweest, ze zijn dol op elkaar."

Karwenna stopte weer voor het flatgebouw. De grond voor het gebouw was drassig, lampen weerspiegelden in modderige plassen.

Karwenna hielp mevrouw Potter bij het uitstappen, hij gaf haar een hand. Haar hand was smal, koel en had geen stevige greep.

Binnen zuchtte mevrouw Potter diep, keek Karwenna aan, schudde haar hoofd.

"Ik heb het gevoel of ik droom", zei ze zacht: "Moord. Wat een woord, wat een gebeurtenis zo dicht in je buurt."

Karwenna begreep haar verbijstering wel en haar hulpeloosheid die uit deze laatste woorden sprak. "Over moord," ging ze verder, "lees je alleen in de kranten, hoor je over de radio. Dat is zo ver van je af, hoewel het altijd erg is, maar nu", zei ze langzamer, "heeft het ons getroffen."

Ze maakte een afwezige indruk.

Ze zag er nog heel jong uit. En zo verzorgd, dat het feit dat ze een vrouw was, er haast achter schuil ging. De gedachte haar als vrouw te zien leek ongeoorloofd. Toch was ze aantrekkelijk, smalle heupen, discrete rondingen. Een vrouw, die de middelbare leeftijd had bereikt en toch iets onverwoestbaar meisjesachtigs had gehouden.

Potter deed de deur open en nam zijn vrouw in zijn armen. Even bleven ze in die houding staan en Karwenna dacht: "De verhouding tussen die twee schijnt ook uitstekend te zijn.

"Ga naar binnen," zei Potter zacht, "ze is in de slaapkamer."

Helene Potter zuchtte even, keek haar man bezorgd aan.

"Ik weet hoe je je voelt," knikte hij, "maar het gaat al wat beter met haar."

Helene ging de slaapkamer in, terwijl Potter zich tot Karwenna richtte.

"Het was heel erg. Ze stortte volkomen in. Het is altijd erg om iemand aan de dood te moeten afstaan, maar als de dood zo onverwachts komt, dan is dat iets ontzettends."

Karwenna knikte, keek Potter aan. Potter had nog niets verloren van zijn beheerste houding, maar hij scheen ergens over na te denken en Karwenna dacht: Ik stoor hem bij het nadenken.

"U wilt Eva Wilke zeker een paar vragen stellen." Potter keek op, alsof hij Karwenna's gedachten had geraden. "Dat zal niet gaan. Ze kan nog niet helder denken. U heeft niets aan haar antwoorden."

"Ik begrijp het," antwoordde Karwenna, "ik sta er ook niet op." Hij voegde er plotseling aan toe: "We hebben de tijd. De moordenaar is niet zichtbaar," hij glimlachte, "en als je niet meteen achter hem aan kunt hollen, dan heb je ook wel tijd om er eerst nog eens een nachtje over te slapen."

Het was ongeveer middernacht toen Karwenna thuiskwam. Gewoongetrouw deed hij de deur zacht open. Maar op de gang struikelde hij over de racebaan, die zijn zevenjarige zoon Michael had opgezet.

God, dacht Karwenna, kon zijn vrouw er niet voor zorgen dat die troep 's avonds werd opgeruimd?

Hij liep naar de keuken en bedacht, dat hij nog geen hap had gegeten, deed de koelkast open en vond daar inderdaad een bordje met koude kip en brood. Helga had er een briefje bijgelegd: Voor jou. Ze had er achter gezet: Eet smakelijk.

Karwenna voelde zich warm worden van binnen. Hij wist dat hij zijn vrouw verwaarloosde. Nee, dacht hij bij zichzelf, dat was het niet. Hij gaf haar zoveel mogelijk tijd. Het lag anders: Ze nam geen deel aan zijn leven, zijn belevenissen, zijn gedachten. Ieder geval zette gedachten in beweging. Die gedachten waren steeds nieuwe gebeurtenissen in zijn leven, ze betroffen hem alleen.

Toen hij in de slaapkamer kwam, zag hij dat Helga nog wakker was. Ze had het licht aan, en legde een boek weg.

"Bedankt voor de kip", zei Karwenna en deed zijn das af, trok zijn jasje uit.

"Een ernstige zaak?" vroeg Helga.

"Een man is achter zijn bureau in de rug doodgeschoten."

"Van achteren?"

Het irriteerde Karwenna opeens dat zijn vrouw dat feit kennelijk zo belangrijk vond.

"Moordenaars", zei hij scherp, "zal het een zorg zijn waar ze schieten. Ze hebben geen eergevoel zoals de mannen in Amerikaanse westerns. Ze schieten er gewoon op los."

Hij dacht even na: "Nee, de moordenaar heeft er niet op losgeschoten. Hij heeft maar één schot gelost, wat duidelijk op voorbedachte rade wees. Een spontane moordenaar schiet zijn

39

hele revolver leeg.

Helga wilde nog meer weten en Karwenna vertelde bereidwillig, zat op de rand van zijn bed, trok zijn schoenen en sokken uit, en zei: "Tot nu toe heb ik in deze zaak alleen maar bijzonder eerbiedwaardige mensen ontmoet."

Ja, dacht hij, dat is het. Tot nu toe zijn er alleen nog maar fantastische mensen op het toneel verschenen.

II

Tegen twee uur 's nachts kwam Potter met zijn vrouw thuis. Ze hadden Eva Wilke bij zich. Eva kon nauwelijks op de been blijven en op het moment dat ze Claudia zag, begon ze opnieuw te huilen.

Claudia sloeg haar arm om haar heen en leidde haar naar een stoel.

Hans Potter kwam de trap af.

Zijn vader riep naar hem: "Schenk een borrel voor me in. Een whisky, maar een sterke. Ik ga het hek dichtdoen."

Het regende niet meer, maar de lucht was nog vochtig. Het was koud en Potter huiverde. Hij deed het hek zorgvuldig op slot en liep terug naar het huis.

Claudia zat nog steeds met haar armen om Eva Wilke heen.

Hans Potter bracht zijn vader een whisky.

Potter hield het glas in zijn hand, keek zijn zoon opeens aan. Hij bleef hem strak aankijken. De jongen voelde zich duidelijk niet op zijn gemak onder die blik, hij aarzelde, wilde weglopen.

"Nee, blijf hier," zei Potter, "kijk me aan!"

Gehoorzaam bleef Hans Potter staan en keek zijn vader aan. Hij bloosde onder die blik, zijn mond beefde.

"Waarom kun je me niet aankijken?" vroeg Potter. "Het is me opgevallen, ik kom binnen en jij durft me niet aan te kijken."

"Maar ik kijk je toch aan", zei de jongen.

"Ja, maar het kost je moeite. Je bent helemaal in de war."

Mevrouw Potter had verbaasd geluisterd. "Wat wil je?" riep ze uit, "we zijn immers allemaal in de war. Ik ben waarschijnlijk lijkbleek."

Potter mompelde "Jaja". Hij glimlachte nu naar zijn zoon, gaf de jongen een vriendschappelijke por en zei, bijna teder nu: "Een krankzinnige situatie. Ons leven is er door in beroering gebracht. Dat is het wat me niet bevalt. Breng Eva nu naar boven."

"Ze slaapt bij mij", zei Claudia, "ik heb het bed al opgemaakt."

"Dank je," mompelde Potter en streelde over Claudia's haar.

Hij keek toe, hoe de twee vrouwen Eva naar boven brachten en nam een flinke slok van zijn whisky.

Hans Potter stond onbeholpen midden in de kamer, alsof de aanwezigheid van zijn vader hem bedrukte.

Potter beende de kamer op en neer, afwezig. Toen bleef hij staan en het leek of hij de kamer aandachtig bekeek, de meubels, de schilderijen. Plotseling draaide Potter zich om naar zijn zoon.

"Ga slapen. Maar ga morgenochtend het huis niet uit, ik

moet met je praten."

"Ja," mompelde de jongen gehoorzaam.

"Wil je niet weten waarover?"

De jongen bleef wat schuchter staan.

Helene Potter verscheen nu boven aan de trap en vroeg: "Kan ik Eva een slaapmiddel geven? Wat denk je?"

"Geef haar maar wat," zei Potter, "het kan geen kwaad."

Op dat ogenblik klonk er een scherp, rinkelend geluid van versplinterd glas.

Potter draaide zich om.

Hans Potter, die juist op het punt stond om verder de trap op te lopen, draaide zich eveneens geschrokken om.

Helene Potter en haar dochter hoefden alleen maar naar boven te kijken om te zien wat er gebeurde: er was een zware steen door het raam gegooid, die de ruit had gebroken. De steen rolde over de grond, kwam tot stilstand. Duidelijk zag je het ronde gat in het raam.

Na het lawaai heerste er een diepe stilte. Potter deed een stap in de richting van het raam, ongetwijfeld met de bedoeling het open te doen en naar buiten te kijken, maar nog voor hij bij het raam was vielen er twee schoten. Ze klonken ontzettend dichtbij, het fluiten van de kogels was duidelijk te horen. Er dwarrelde stof van het plafond naar beneden.

Potter stond als door de bliksem getroffen. De vrouwen stonden ook roerloos.

Potter deinsde achteruit, bij het raam vandaan en staarde er verbijsterd naar.

"Ewald", riep Helene ontsteld uit. Maar Potter was ongedeerd. Hij draaide zich om alsof hij zijn familie wilde laten zien dat hij ongedeerd was.

Toen staarde hij weer naar het raam alsof hij erover dacht om er weer heen te lopen.

"Nee, blijf staan," riep mevrouw Potter, "alstublieft, blijf staan."

Claudia stond zo te trillen op haar benen dat ze op de trap moest gaan zitten. Hans kwam weer naar beneden en bleef onderaan de trap staan. Potter stond nog steeds naar het raam te staren.

"Ga bij het raam vandaan", riep Helene.

Potter draaide zijn hoofd om en keek haar met wazige ogen aan. Hij keek nog steeds verbijsterd, deed een stap en liep toen naar het portaal, deed het buitenlicht aan. Alle ramen waren nu verlicht. Potter deed de deur open.

"Niet naar buiten gaan," gilde zijn vrouw.

Potter draaide zich om en riep: "Mijn geweer!"

Hij rende terug naar de woonkamer. Hij scheen bezeten te zijn van blinde woede. Hij rende naar zijn kamer, een studeer-kamer.

In die kamer bevond zich de gewerenkast. Hij rukte aan de deur.

"De sleutel", riep hij, "waar is de sleutel van de geweren-kast?"

Helene was hem achternagelopen. "Wat moet je met een geweer?"

"Waarom is die kast op slot?"

"Omdat het de geweerkast is," zei Helene.

"Geef de sleutel", snauwde Potter tegen zijn vrouw. De manier waarop hij zijn vrouw toesprak was kennelijk zo onge-bruikelijk, dat ze de sleutel haalde, die in een klein doosje zat.

Zwijgend nam Potter de sleutel van haar aan. Hij rukte de glazen deur zo heftig open, dat de scharnieren kraakten.

Zijn hand schoot naar binnen en haalde de Remington eruit. Met de andere hand zocht hij al op de bodem van de kast naar de patronendozen. Hij knielde nu op de grond, had de loop al geknikt en zocht met snelle vingers de patronen. Hij schudde ze wild uit op de grond, duwde toen twee patronen in de kamers, boog de loop weer recht; er klonk een klikkend geluid.

"Ewald," probeerde mevrouw Potter haar man nog tegen te houden, maar hij rende langs haar heen, langs zijn kinderen, rukte in het portaal de deur open en stormde de tuin in.

Het regende nog steeds. De lichten in huis staken fel af in het donker. Het leek of het bij de lampen harder regende, de regensluiers waren fel verlicht.

Potter was buiten zichzelf, liep gebukt, rende door de tuin, had het geweer in de aanslag. Hij probeerde de duisternis met zijn blikken te doorboren, zijn vinger aan de trekker.

In huis smeekte Helene haar kinderen: "Doet iets. De politie Hans, bel de politie."

Op dat moment verscheen Eva Wilke slaapdronken boven aan de trap.

"Is er iets gebeurd?" vroeg ze met heldere stem.

Maar niemand gaf antwoord.

"Helene Potter riep tegen haar zoon: "Doe toch iets. Waarom bel je de politie niet?"

Hans rende nu naar de telefoon en draaide het nummer met nerveuze vingers, half snikkend van de zenuwen.

Claudia was naar het raam gelopen. Ze zag de tuin in het felle buitenlicht, zag haar vader, die heen en weer rende, zwaaiend met zijn geweer, schreeuwend. Ja, hij schreeuwde wilde verwensingen, terwijl de regen hem doorweekte.

Helga Karwenna schudde haar man wakker. Slaapdronken ging Karwenna rechtop zitten.

Hij staarde zijn vrouw aan. "Wat is er?"

"Telefoon," zei Helga, "Heb je het niet gehoord?"

Nu pas hoorde Karwenna de telefoon rinkelen in de kamer.

Ze lieten 's nachts de deur open om de telefoon te kunnen horen.

Helga had zich er altijd tegen verzet telefoon op de slaapkamer te nemen.

"Ik val uit bed, als de telefoon naast me gaat", had ze gezegd. Ze waren tot het compromis gekomen dat de deur naar de kamer openbleef.

Karwenna stapte uit bed, keek op zijn horloge. Het was drie uur in de ochtend.

Hij nam de hoorn op en noemde zijn naam. Potter was aan de andere kant van de lijn.

"Ik stoor u, ik weet het. Maar ik vond dat u het zo gauw mogelijk moest weten. Er is zojuist een moordaanslag op me gepleegd."

"Wat-?" riep Karwenna uit, "vertel eens."

Potter vertelde het hele verhaal, zei ook, dat hij met een geweer door de tuin was gerend. Maar hij had niemand gevonden. "Ze zijn over het hek geklommen."

"Waarom zegt u "ze"?" vroeg Karwenna, "waren het er meer?"

"Nee, nee," corrigeerde Pottr zichzelf, "neem me niet kwalijk, het kan er ook één zijn geweest. In ieder geval heb ik niets gehoord of gezien."

"Wat heeft u gedaan?" vroeg Karwenna.

"We hebben direct de politie gebeld. Er kwam meteen een surveillancewagen. De agenten hebben de recherche gewaarschuwd en op het ogenblik is het een hele drukte in huis. De hele tuin wordt op z'n kop gezet."

"Wie zijn er van de recherche?"

"Wacht even, dan geef ik u hem zelf. Hij staat naast me."

Het was Schweiger. Karwenna kende hem, een kalme, al wat oudere rechercheur, die nergens zo'n hekel aan had als aan

45

nachtelijke karweitjes. Maar aan de andere kant was hij degene die zich het zwakst verzette tegen indeling in de nachtdienst, zodat hij steeds vaker voor nachtdiensten werd opgesteld.

Schweigers stem klonk niet erg opgewekt.

"Wat is dat voor een zaak?" vroeg hij, "hoort het bij die toestand waar jij vanmiddag al bij betrokken bent?"

"Ja, het lijkt er wel op," zei Karwenna, "en ik slaap nu nog half, maar ik kom."

Hij hing op.

Zijn vrouw was opgestaan, had haar badjas omgeslagen.

"Ik zet nog even koffie voor je", zei ze, "ik heb al begrepen, dat je wegmoet, maar zonder koffie ben je niet veel waard."

Hij knikte. Hij voelde zich inderdaad beroerd. Hij kleedde zich automatisch aan en begon al te denken: Wat was dat: Er was een steen door de ruit bij Potter gegooid, er waren twee schoten gelost, schoten? Karwenna strikte zijn veters. Natuurlijk was er een verband tussen die twee zaken. Geen twijfel mogelijk.

Hij dronk de hete koffie staande op, afwezig, merkte toen ineens dat Helga hem rustig aankeek.

"Ik zou haast zeggen," begon ze opeens, "zoek alsjeblieft een ander beroep, maar dat heeft geen zin, want je houdt van dit beroep." Ze dacht even na en verbeterde zichzelf toen: "Nee, dat is niet waar, je houdt er niet van, maar je bent er aan gehecht op een speciale manier waar ik nog geen verklaring voor heb."

Ze voegde er plotseling aan toe: "Misschien moet ik ook wel bang zijn voor die verklaring."

"Spreek niet in raadsels," zei Karwenna grof, "ik heb genoeg aan die van mezelf."

In de auto dacht hij over Helga's woorden na. Wat had ze gezegd: Je houdt niet van je beroep? Nee, antwoordde hij zichzelf eerlijk, ik houdt er niet van. Het was het verkeerde woord.

Hij dacht er een tijdje over na, hoe hij het wel zou kunnen noemen, maar hij kon niets bedenken. Hij schakelde zijn gedachten uit, reed snel en verbeten door de natte novembernacht.

Hij zag van verre al het helder verlichte huis van Potter. Het tuinhek stond open. Overal liepen rechercheurs rond.

Opnieuw wilde een van de politiemensen Karwenna de toegang verbieden.

Geprikkeld haalde Karwenna zijn legitimatiekaart tevoorschijn en wachtte vol ongeduld tot hij hem terugkreeg.

Toen liep hij langzaam in de richting van het huis. Potter kwam naar Karwenna toe, met uitgestoken hand.

"Wat zegt u daar van?" begon hij meteen en Karwenna zag dat Potter nog steeds niet bekomen was van zijn verbazing. Het leek of hij voortdurend liep te hoofdschudden.

"Onbegrijpelijk, onbegrijpelijk", mompelde hij.

Karwenna nam het tafereel in zich op. Hij zag dat iemand de open haard had aangestoken. Een groot houtvuur verspreidde een behaaglijke warmte en paste eigenlijk helemaal niet in het beeld van een schietpartij. Rechercheurs liepen af en aan, hadden bezit genomen van het huis alsof het voor algemeen gebruik was vrijgegeven. Er werden tafels bedekt met papieren aantekeningen. Iemand maakte proces verbaal op, noteerde getuigenverklaringen. De politieman die met twee vingers zat te typen had een fles bier naast zich staan.

Op de achtergrond zag Karwenna de twee kinderen van Potter naast elkaar op de sofa zitten. Het lichtblonde haar van Claudia was weer een lichte vlek in het halfduister.

De jongen zat met zijn knieën stijf tegen elkaar aan, zijn handen rustten erop. Mevrouw Potter verscheen net bovenaan de trap.

"Alles loopt in de war", riep Potter uit, "het hele huis staat op z'n kop. Wat een nacht!"

Schweiger was in de tuin, hij had gehoord, dat Karwenna was gearriveerd en kwam meteen naar binnen. Hij droeg een plastic regenjas en schudde zich uit.

"Wat een nacht," klaagde Schweiger, "ik ben tot op m'n hemd toe nat. Ik pak vast een kou, ik voel het. Ik pak altijd een kou bij zulk weer. Ik voel het al opkomen."

Hij keek Karwenna somber aan. "Wat is hier eigenlijk aan de hand?" vroeg hij. "Ik kan er maar geen beeld van krijgen. Er wordt een steen naar binnen gegooid en meteen wordt er geschoten. Waarom? Zie jij daar een reden voor?"

Karwenna beantwoordde de vraag niet. "Hebben jullie de kogels al?"

"Die zitten nog in het plafond."

Schweiger wees naar de gaten in het plafond. "We moeten ze er eerst uithalen."

"Hebben jullie in de tuin sporen gevonden?"

"Ja. We zijn bezig afdrukken te maken voor ze weer verdwenen zijn door de regen."

"Kunnen het er meer geweest zijn?"

"Ja, dat is heel goed mogelijk. We hebben sporen gevonden in een bloembed. Maar je weet hoe het is met sporen in een doorweekte grond. Het is haast modder, geen scherpe afdrukken."

"Is de dader of zijn de daders over het hek geklommen?"

"Ja, dat is zeker. Daar zijn voetafdrukken en afgebroken takken van struiken."

Karwenna wees op de steen, die nog steeds midden in de kamer lag.

"Waar komt die vandaan?"

"Geen idee. Hier op het terrein liggen niet zulke stenen. En in de naaste omgeving ook niet. Deze hebben ze meegenomen."

Karwenna keek naar de zware kalksteen, en dacht na. Een

simpel recept: Je gooide een steen door het raam, wachtte tot er iemand voor het raam verscheen en kon dan moeiteloos schieten.

Maar, voegde hij er aan toe, ze hebben hem niet doodgeschoten.

Karwenna wendde zich tot Potter: "Waar stond u toen de schoten vielen?"

"Bij het raam", antwoordde Potter.

"Kunt u me precies zeggen waar? Wijst u de plaats eens aan."

Potter liep de kamer door, zocht de plek op waar hij dacht gestaan te hebben.

"Hier heb ik gestaan."

Karwenna kwam naast Potter staan en vroeg: "Wat wilde u doen?"

"Kijken wat er aan de hand was. Ik wilde naar buiten kijken."

Karwenna zag dat het raam nog ongeveer twee passen verwijderd was. Zijn blik zocht de gaten in het plafond. Hij trok een lijn van daar naar het raam.

"Waar denkt u aan?" vroeg Potter.

Karwenna zei: "De dader moet nerveus geweest zijn. Hij had u waarschijnlijk nog helemaal niet gezien. Ik vraag me af waarom hij niet nog twee tellen heeft gewacht. Dan had u als schietschijf voor het raam gestaan."

"Aha", zei Potter.

"De dader die uw procuratiehouder heeft doodgeschoten was ook nerveus, want hij heeft zich niet de tijd gegund om goed te kijken wie hij doodschoot."

Potter zei aarzelend: "U bent er dus van overtuigd, dat ik het was die eigenlijk vanavond al vermoord had moeten worden?"

"Ja, daar ben ik nu van overtuigd."

Karwenna liet duidelijk blijken dat hij opgelucht was. Nu was het dus bewezen. De moordaanslag had inderdaad Potter gegolden, de dood van Wilke was een vergissing geweest.

Eindelijk had Karwenna duidelijkheid op dat punt.

Schweiger had de hele tijd zonder een woord te zeggen naast Karwenna gestaan.

Hij begreep niet waar over werd gesproken. "Waar gaat het nou om?" klaagde hij. "Mag ik misschien ook iets weten?"

"Moment," zei Karwenna hief zijn hand op en keek Potter rustig aan. "Wat is er allemaal gebeurd tussen vanavond en vannacht? Een paar dingen kunnen wij ook vaststellen. Ten eerste dat de moordenaar er inmiddels achter is dat hij de verkeerde te pakken heeft gehad. Hij heeft intussen vastgesteld, dat u op uw kantoor bent geweest, heeft misschien tussen de omstanders staan kijken," hij viel zichzelf in de rede, "nee, dat waarschijnlijk niet, dat kon hij niet riskeren."

"Niet riskeren?"

"Er bestaat geen twijfel aan, dat de moordenaar u kent, heel goed kent. Het moet iemand zijn met wie u voortdurend te maken heeft. Hij kon zich niet blootstellen aan het gevaar herkend te worden. Maar hij is u gevolgd, hij moet u gevolgd zijn. Hoe wist hij, dat u niet thuis was? Hij wachtte tot u terugkwam. Hoeveel tijd is er verstreken tussen uw thuiskomst en die steen door de ruit, die schoten?"

"Een minuut of vijf à tien. Meer niet."

"Dat bevestigt mijn vermoeden. Er is nog iets dat me opvalt: De moordenaar was heel koelbloedig. In ieder geval in zijn planning. Die was goed doordacht en geraffineerd. Alleen de uitvoering", Karwenna schudde zijn hoofd, "die was niet zo goed. Hij was nerveus en ik vraag me af waarom."

Hij bleef een poosje peinzend voor zich uitstaren. Schweiger zei met een gemelijk klank in zijn stem: "Ik begrijp dat ik hier overbodig ben." Hij ging terug naar de tuin.

Potter glimlachte zwakjes. "Ik zie nu het verschil", zei hij. "U bent van een heel ander kaliber dan uw collega daar."

"Hoe bedoelt u? vroeg Karwenna verbluft.

"U komt meteen tot interessante conclusies, je kunt je ineens iets voorstellen, een nerveuze moordenaar. Iemand uit mijn, wat zei u, uit mijn omgeving. Een employe misschien?"

"Zou dat zo onmogelijk zijn?"

"Ach weet u", zei Potter verachtelijk, "niets is onmogelijk."

Toch scheen die gedachte hem onzeker te maken. Hij voelde zich onbehaaglijk. Hij bleef even afwezig voor zich uit staan staren, hief toen met een haast ruwe beweging zijn hoofd weer op.

"Daar komen we wel achter", zei hij.

Helene Potter kwam er nu bij staan. "Ik heb soep gemaakt", zei ze, "voor u en de mannen die buiten zijn in dat vreselijke weer. Wilt u een bord?"

Potter keek haar verbaasd aan.

"Wat heb je gemaakt? Soep!"

"Ja", zei Helene, "ik dacht dat iedereen daar wel aan toe zou zijn."

Potter verloor de verblufte uitdrukking niet van zijn gezicht.

"Is het hier een soort kantine geworden?" vroeg hij en wat korzelig: "Nou ja, zoals je wilt. Deel voor mijn part maar soep rond."

Helene en Claudia brachten daarop een pan binnen, die ze op tafel zetten. Hans bracht een stapel borden en lepels.

"Neem me niet kwalijk", zei Potter tegen Karwenna, "maar ik heb een bijzondere relatie met dit huis. Voor mij is het of het met een mes wordt opengesneden."

Karwenna verbaasde zich over die omschrijving, maar hij meende wel te begrijpen wat Potter ermee bedoelde. Toch registreerde hij deze opmerking als een heel speciaal voorbeeld van een bepaalde karaktertrek van Potter.

Claudia had de agenten binnengehaald. Ze schudden de druppels van hun jassen en iemand keek vanuit het portaal naar binnen: "Moeten we onze laarzen niet uittrekken? We kunnen zo onmogelijk naar binnen."

"Dat geeft helemaal niets", riep mevrouw Potter.

De politiemensen maakten op de stoep hun schoenen zo goed mogelijk schoon, sloegen de klei eraf, toen kwamen ze binnen, op hun tenen bijna, nog steeds bang om de boel vuil te maken. Het leek daardoor of ze dansten. Die aanblik scheen Potter te kalmeren, hij hielp zelfs mee soep ronddelen en maakte maar een keer een opmerking: "Het lijkt wel oorlog!"

Karwenna nam afscheid van Schweiger. "Bezorg me zo gauw mogelijk die kogels. En de afgietsels van de voetsporen."

"Doe ik", beloofde Schweiger, "heb je verder nog aanwijzingen? Ik moet tenslotte een rapport schrijven. Ik wil niet afgaan."

"Schrijf alleen op wat je hier hebt aangetroffen. Aan het eind verwijs je dan naar mij en mijn rapport."

Schweiger knikte opgelucht. "Heel goed," zei hij, "het moet in ieder geval zo lijken of ik er alles van weet."

Karwenna vertrok. Zijn laatste blik viel op Helene Potter, die soep uitdeelde. Wat een gezicht, dacht hij. Die elegante vrouw als tafelbediende.

Karwenna reed naar huis. En nu pas, nu hij alleen was, overviel hem het gevoel, dat deze zaak iets sensationeels had. Een moord, een poging tot moord! Er was iets in beweging, volop in beweging. Geen zaak, die gebeurde en wegzakte in stilte en zwijgen, maar een geval, dat een nieuw geval veroorzaakte en misschien nog een. Wat moest er een kracht in het motief liggen. Meestal leidde een motief tot de daad, het explodeerde in de daad en met de daad. Daarna lag het motief in stukken en was tot niets meer in staat, deugde gewoon nergens meer voor, het was opgebruikt in de daad en met de daad. Maar hier was het motief niet verbruikt. Het had een stuwende kracht. Wat kon dat zijn?

Karwenna probeerde zich gelijksoortige gevallen te herinneren, maar het leverde niets op.

God, dacht hij, ik ben moe. Het vervelende van die gedachte was, dat hij heel goed wist, dat hem geen goede nachtrust beschoren zou zijn. Hij voelde onrust. Die onrust zou bij hem blijven tot de zaak was opgelost.

III

De volgende ochtend werd hij met moeite wakker. Pas toen hij op zijn horloge keek schoot hij overeind.

"Waarom heb je me niet vroeger wakker gemaakt?" zei hij boos tegen Helga.

"Je zult opkijken," zei ze droog, "ik heb het geprobeerd. Het lukte niet. Ik heb naar het bureau gebeld dat je twee uur later komt."

"Heel goed," zei Karwenna, "dank je." Toen ging hij onder de douche, zette die op ijskoud en stond even rillend onder de koude waterstraal. Daarna droogde hij zich af.

De gebeurtenissen van de vorige nacht kwamen terug in zijn herinnering, volkomen willekeurig. Hij zag Potter achter het stuur van zijn wagen, die hij naar de kant van de weg had gereden. Potter keek hem aan, vroeg ongelovig: Denkt u dat die aanslag voor mij bedoeld was? Karwenna zag Claudia onder het druipende afdak van het portiek staan, een lichte vlek in het donker. Hij zag mevrouw Potter voor zich, die soep ronddeelde en hoorde Potters stem: Is het hier een kantine? En meteen daarna Potters stem: Mijn huis is nu alsof het met een mes wordt opengesneden! Die wrevel in zijn stem. Wrevel? Verbazing, schrik, een soort vertwijfeling.

Karwenna kleedde zich vlug aan, ging naar de keuken, waar Helga het ontbijt had klaargezet.

Er kwam een nieuw beeld in hem op, hij zag Eva Wilke voor zich, een tengere vrouw met een wit, teer gezicht. Als iemand die veel naar de kerk gaat, dacht Karwenna en grinnikte zelf om die vergelijking, die hij zelf niet kon verklaren. Maar zo zagen gezichten van biddende vrouwen er altijd uit, als ze hun gezicht naar het altaar hadden geheven.

Een soort fanatisme lag erin. Hoe kom je op fanatisme, dacht hij? Je bedoelt geloof. Zit er niet in ieder geloof een beetje geëxalteerdheid?

"Drink je koffie niet staande", zei Helga, "ga zitten."

Geërgerd voegde ze eraan toe: "Ik zie al, dat je in jezelf praat, maar kun je daar niet mee wachten tot je op het bureau bent?"

"Wat?" Karwenna keek verbluft op.

"Je praat in jezelf, zeg ik", herhaalde Helga, "en ik vind het jammer dat ik er niets van te horen krijg. Het is een belediging."

★

Henk was al op het bureau, maakte een uitgeslapen indruk en grijnsde Karwenna toe: "Man, het is nog een hele toestand geweest vannacht. Een overval op Potter, er is geschoten. Ik wist niet wat ik hoorde."

Maar Henk keek nooit ergens van op. Hij deed maar alsof. Vergenoegd haalde hij de twee kogels tevoorschijn.

"Dit zijn ze. Die zaten in het plafond."

Toen haalde hij nog een kogel tevoorschijn en werd wat ernstiger. "Die zat in het lichaam van Wilke."

Karwenna nam de kogels in zijn hand.

"Hetzelfde kaliber", mompelde Henk, "en als je wilt weten wat ik ervan denk, volgens mij zijn ze ook uit hetzelfde wapen gevuurd!"

Karwenna slaakte een diepe zucht. Dat te weten was een heel belangrijk iets. Als het waar was, was er een belangrijk feit vastgesteld.

Henk liet de kogels die bij Potter uit het plafond waren gehaald in een plastik zakje met een etiketje vallen. De andere, de kogel van de moord, deed hij in een ander zakje.

"Naar het laboratorium", zei Henk en hij keek opgewekt naar Karwenna. "Er is toch iets uitgekomen."

Hij pakte de afgietsels van de voetsporen van zijn bureau. "Nog iets wat niet oninteressant is. Het zijn er minstens drie geweest, die bij Potter over het hek zijn geklommen."

Karwenna haalde eens diep adem.

Hij keek naar de afgietsels. Ze waren niet bijzonder goed, de randen niet scherp, maar het waren duidelijk drie verschillende afdrukken. Ze waren verschillend van grootte. Een van de afdrukken was tamelijk klein.

"Er zou een vrouw bijgeweest kunnen zijn", zei Henk.

Karwenna was nu zo gespannen, dat hij erbij moest gaan zitten. Een vrouw?

"De zaak ziet er nu helemaal niet meer zo geheimzinnig uit", zei Henk.

"Nou, nou", temperde Karwenna zijn enthousiasme. "Zo goed zijn die afdrukken nu ook weer niet. Ik kan er geen schoen in zetten en zeggen, deze schoen was het en geen andere."

"Dat is waar", antwoordde Henk nuchter, "maar het is toch al heel wat als we kunnen zeggen: Er zijn minstens drie mensen bij Potter over het hek geklommen en er was mogelijkerwijs een vrouw bij."

Karwenna knikte afwezig. Zijn spanning verdween en hij dacht: Misschien is de zaak minder ingewikkeld als ik dacht.

★

Ze reden naar het kantoor van Potter.

Potter zelf liet de twee mannen binnen.

"Ik verwachtte u al", zei hij. Hij droeg een grijs flanellen pak met een zijden overhemd. Het leek of hij zich extra correct had gekleed.

"Komt u verder."

Hij wees naar een kamer. "Dat is de kamer van Wilke. Ik gebruik hem tot mijn eigen kamer wordt vrijgegeven."

Nu pas zag Karwenna dat Hans Potter ook in de kamer was.

De jongen zag er wat bleek en futloos uit, vond Karwenna. Hij droeg een grijs, heel sportief kostuum, met een open hemd. Hij voelde zich duidelijk niet op zijn gemak in deze omgeving.

"Mijn zoon", zei Potter, "ik heb hem gevraagd om vandaag mee te gaan naar kantoor. Eigenlijk moet hij naar school, maar ik neem aan, dat hij zich niet erg zal kunnen concentreren."

Hij richtte zich nu tot zijn zoon. "Daar heb ik toch gelijk in?"

56

De jongen knikte heftig, alsof hij bang was dat zijn antwoord aarzelend over zou komen.

"Ik heb mijn zoon met opzet meegenomen naar kantoor. Hij moet aan al onze gesprekken deelnemen. Ik kan me namelijk voorstellen dat hij ertoe bij kan dragen, dat we de moordenaar vinden."

"Hoe kan hij dat?" vroeg Karwenna nuchter.

Potter begon heen en weer te lopen. "Ik heb een verdenking. Ik heb het er gisteren over gehad. Het was nog te vaag, ik heb een nacht nodig gehad om er over na te denken. Ik heb me afgevraagd: wie zijn mijn vijanden? Begrijp me goed, ik heb vijanden genoeg, maar in dit geval moest het wel een nieuwe vijandschap zijn. Een vijandschap van mensen die tot een moord in staat zijn."

"Juist", knikte Karwenna.

"Ik heb u al verteld dat ik een groot aantal horecagelegenheden bezit. Allerlei verschillende zaken. Eethuizen, bars, nachtclubs. Er is ook een discokelder bij, waarvoor ik een bandje heb geëngageerd, een paar jongelui." Zijn stem had opeens een minachtende klank gekregen.

"Geen goede musici. Dat waren ze beslist niet. Dat moesten ze ook niet zijn. Ik wilde amateurs hebben. Het hoorde bij de sfeer van die gelegenheid dat het amateurs waren. Die jongelui heb ik tien dagen geleden ontslagen."

Potter keek zijn zoon aan.

"Ik heb ze er van het ene moment op het andere uitgegooid. Daar waren ze het niet mee eens. Een van die jongens vloog me aan en ging zo tekeer dan Wilke, die ik bij me had, de politie moest bellen. Ze hebben de zaak toen ontruimd, maar onder allerlei dreigementen en scheldpartijen."

Hans Potter scheen droge lippen te krijgen. Hij likte met zijn tong langs zijn onderlip, wat hem een hulpeloze uitdrukking gaf.

"Mijn zoon was er ook bij. Hij heeft" Potter aarzelde, "hij had een bepaalde relatie met die jongens."

Potter snauwde tegen zijn zoon. "Is het juist wat ik zeg?"

Hans Potter knikte, hij stond duidelijk onder druk. Hij stond met gebogen hoofd.

"Wąarom kijk je me niet aan?" vroeg Potter geërgerd. "Er is geen enkele reden om je hoofd te laten hangen."

Karwenna zag met verbazing hoe Potter de jongen een harde por gaf. "Til je hoofd op!" riep hij woedend.

Hans Potter deed het, tilde gehoorzaam zijn hoofd op, maar hij keek angstig naar zijn vader.

"Mijn zoon voelt zich erg aangetrokken tot muziek. Misschien gaat hij nog wel eens muziek studeren. Ik heb mijn zoon" hij aarzelde, zocht naar een woord; "geraadpleegd, wilde zijn mening weten. Ik had een bepaalde voorsteling van de muziek, voor die discokelder."

Grimmig vervolgde Potter: "Het resultaat was, dat er zoiets als een relatie ontstond tussen mijn zoon en die musici."

Koel sprak hij verder: "Dat is de reden waarom ik mijn zoon vanmorgen heb meegenomen, omdat het mijn stellige overtuiging is; Als iemand mij naar de duivel wenst, dan deze jongelui, en het is precies het soort dat daarbij een revolver gebruikt."

Potter maakte een gebaar naar Karwenna. "Mijn zoon zal u zeggen wie het zijn en waar ze zich bevinden". Hij zei met nadruk: "Ik hecht er waarde aan, dat u mijn zoon als getuige bij uw onderzoek betrekt."

Hij hield zijn blik strak op zijn zoon gericht. "Het moet een lesje voor hem zijn."

Potter verklaarde zich niet nader, de jongen boog zijn hoofd weer en liet zijn schouders hangen.

Henk had de hele tijd aandachtig geluisterd, Karwenna

merkte dat hem een vraag op de lippen brandde. Henk keek even vlug naar Karwenna, alsof hij hem toestemming wilde vragen zijn vraag te stellen.

"Vertelt u eens", zei Henk, "jonge musici zei u? Hoeveel waren het er?"

"Vier."

"Was er een vrouw bij?"

Potter keek Henk verbluft aan.

"Ja, er is een vrouw bij, een jong meisje."

Karwenna remde Henk met een handgebaar af.

"Hoe komt u daarbij?" vroeg Potter dringend en keek van de een naar de ander.

"We zullen de zaak natrekken", zei Karwenna ontwijkend.

"Kan ik uw zoon meenemen?"

"Daarvoor is hij hier", antwoordde Potter en duwde de jongen naar Karwenna toe.

"Ik durf te wedden," zei hij kil, "dat we ons op het goede spoor bevinden."

★

De jongen liep zwijgend naast Karwenna. Karwenna deed zijn wagen open en verzocht Hans Potter in te stappen.

Karwenna had Henk in Potters kantoor achtergelaten. Hij moest het personeel van Potter ondervragen. Misschien dat daar ook nog iets van belang uit kwam.

Karwenna ging achter het stuur zitten. Hij glimlachte tegen de jongen die bedrukt naast hem zat.

"Laten we ons eerst eens voorstellen", zei hij vriendelijk, "hoe oud ben je?"

"Achttien."

"Mag ik nog Hans tegen je zeggen?"

"Graag", fluisterde de jongen.

"Dat praat gemakkelijker", zei Karwenna. "Zullen we een pilsje gaan drinken?"

"Zoals u wilt."

"Ik heb een stamkroeg in de Leopoldstraat. Het is er heel gezellig. Ik ga er altijd heen als ik na moet denken."

Hans zat met gebogen hoofd, zwijgend naast hem. Hij ging kennelijk helemaal op in zijn eigen gedachten.

Karwenna keek aandachtig naar de jongen en registreerde alles wat hij over de jongen wist. Ongeveer een meter negenenzeventig lang, sportief, smalle heupen, smal gezicht, de huid van zijn moeder, dacht Karwenna, geen grove lijnen in het gezicht, een gevoelig voorhoofd, geen extrovert type, gewend om zich in zichzelf op te sluiten. Waarvoor en waarom?

Karwenna zag, dat Hans Potter zijn handen op zijn knieën had, ze lagen daar vlak, een beetje dood, lange smalle vingers.

"Wat voor een instrument bespeel je?" vroeg Karwenna.

"Verschillende."

"Noem ze eens."

"Piano, viool, cello, klarinet."

"Dat is een heel orkest", zei karwenna lachend. "Ik kon vroeger heel goed mondharmonica spelen, maar dat is dan ook alles wat ik ooit aan muziek heb gedaan."

Karwenna had de jongen aangekeken om te zien of er iets van een glimlach op zijn gezicht kwam, maar de jongen reageerde niet.

Wat is er met hem aan de hand? dacht Karwenna. Is hij het niet eens met zijn opdracht?

Karwenna vermeed het om over de jongelui te beginnen. Hans Potter verwachtte dat ongetwijfeld, daarom zat hij in deze starre, afwachtende houding.

Zwijgend reed Karwenna naar de Leopoldstraat, waar hij een parkeerplaats zocht.

Hij vond het erg belangrijk om een ontspannen sfeer te scheppen. Hij praatte over het weer, voetballen.

De zon was doorgebroken, wierp haar stralen door een groot gat in de wolken en verleende een bepaalde gloed aan de gezichten.

Maar Hans Potter bleef bedrukt, alert en gespannen. En wel op een manier die Karwenna als heel ongewoon registreerde. Karwenna vond een parkeerplaats en stapte uit met Hans Potter.

"Daar is het, op die hoek."

Hans Potter liep met soepele passen naast Karwenna, zo licht, dat je zijn voetstappen nauwelijks hoorde.

"Doe je aan sport?" vroeg Karwenna.

"Ja, ik tennis, ik rijd paard, ik doe aan atletiek."

"Honderd meter?"

"Ja, korte afstanden."

Hans zei niet meer dan dat er van hem gevraagd werd, hij volstond met summiere antwoorden.

Karwenna betrad met de jongen "Het Hoekje". Het café bestond twee jaar en de eigenaar was een blinde man. Hij heette Max Lamprecht, stond zelf achter de bar, had een cirkel om zich heen gebouwd, waarin hij zich op zijn gemak voelde, waar hij iedere fles en ieder glaasje kende. Hij had natuurlijk bedienend personeel, twee jonge meisjes, die hem hielpen, maar Max was de baas in de zaak en wie hem bezig zag, zou niet denken dat hij blind was.

Karwenna had hem een keer geholpen. Hij had bezoek gekregen van een stel rockers, ze hadden de diensters bedreigd, alles gepakt wat ze maar wilden hebben, en daarna het café zonder te betalen verlaten. Max was machteloos geweest. De politie kon hem niet helpen, want de bange meisjes wilden geen beschrijving van de daders geven. Ook de aanwezige gasten hielden zich erbuiten.

Henk had Karwenna van Max verteld en ze waren beiden op de loer gaan liggen. Henk dacht nog vaak met plezier terug aan de vechtpartij die toen was ontstaan. Hij was een tand kwijtgeraakt en had zijn arm gebroken, maar Max was van de plaag verlost.

"Hallo", zei Karwenna.

Max wendde onmiddellijk zijn gezicht naar hem toe. Zijn gehoor was net zo goed als de ogen van iemand die kon zien.

Hj wist altijd meteen wie hij voor zich had. Hij had een fenomenaal geheugen voor geluiden.

"Aardig dat je weer eens langs komt. Is Henk erbij?"

"Nee, een jonge vriend. We wilden graag een pilsje."

Max vulde de glazen en dat deed hij zo vlot, dat niemand op de gedachte zou komen dat hij blind was.

Max praatte met Karwenna. Hij praatte altijd ontzettend vriendelijk en rustig, maakte lange pauzes en hield zijn gezicht altijd iets geheven met een half lachje, dat weldadig aandeed.

Gasten die binnen kwamen noemden Max bij de voornaam en Max antwoordde, noemde iedereen bij de naam, alsof hij ze zag.

Karwenna pakte de twee glazen op en liep naar een tafeltje.

"Zo," zei Karwenna, "wat is er nu met die jongelui waar je vader het over had?"

De jongen aarzelde met zijn antwoord. "Ik weet het niet," mompelde hij toen. "Ik" hij stotterde nu bijna, "ik geloof niet dat hij gelijk heeft", hij slikte even, begon toen opnieuw: "ik kan het me niet voorstellen."

"Wie zijn het?" vroeg Karwenna. Hij haalde een bloknoot en

pen uit zijn zak en schoof ze naar de jongen toe: "Schrijf de namen en adressen eens op."

Hans Potter raakte het papier niet aan. Het leek of hij ervoor terugdeinsde.

"Wat heeft u eraan als ik die namen noem?"

Hij scheen te beseffen dat zijn weigering dom was. Hij zuchtte en zei toen: "Nou, goed dan..."

Hij voelde zich kennelijk in het nauw gedreven.

"Een heet Harro Wensler."

Zijn stem had nauwelijks kracht, het klonk dof en gespannen.

"Schrijf op!" zei Karwenna tegen de jongen en schoof de bloknoot nog wat dichter naar hem toe.

Met tegenzin pakte Hans Potter de pen, aarzelde nog even, deed een laatste poging: "Ze zijn het niet geweest. Mijn vader verdenkt ze ten onrechte. Het zijn musici, alleen maar musici. Wat hen interesseert is muziek, anders niets."

Karwenna gaf geen antwoord en de jongen keek mistroostig naar het papier.

"Harro Wensler dus," zei Karwenna, "schrijf op."

Hans Potter schreef de naam op. Hij schreef met kleine letters, maar heel duidelijk, artistiek, een plezierig handschrift. Het was wat kinderlijker, dan Karwenna had gedacht en dat feit verbaasde hem.

"Harro Wensler dus, hoe oud is hij? Wat voor een type?"

"Mag ik een sigaret?" vroeg Hans Potter, "is er hier een automaat?" Hij zocht al naar geld.

Zwijgend hield Karwenna hem zijn pakje voor. Hans Potter nam er een sigaret uit. Hij had zijn vingers niet onder controle. De sigaret trilde tussen zijn vingers, hij stak hem tussen zijn lippen. Zijn zenuwen waren hem de baas, dat was duidelijk te zien.

De jongen inhaleerde diep, draaide de sigaret tussen zijn vingers rond. Zijn gezicht leek opeens heel klein, het kreeg iets breekbaars. De aderen bij zijn slapen klopten.

"Rocky is midden twintig."

"Rocky?"

"Ja, zo noemen ze hem. Ze zeggen allemaal Rocky." Hij keek op: "Rocky is fantastisch." Hij sprak het woord langgerekt uit, alsof hij het daardoor kon benadrukken. Tegelijkertijd scheen hij te beseffen dat dergelijke uitdrukkingen geen indruk maakten op Karwenna. Zijn gezicht kreeg weer een moedeloze uitdrukking.

"Wat voor instrument bespeelt hij?" vroeg Karwenna.

"Jazztrompet." De jongen scheen na te denken.

"Eigenlijk is Harro loodgieter. Daar heeft hij voor geleerd, waterleidingen en centrale verwarmingen aanleggen. Maar dat beviel hem niet. Hij wilde musicus worden."

Hans Potter pauzeerde even en vervolgde toen met een vaag lachje: "Gek, de manier waarop hij erachter kwam dat hij eigenlijk liever muziek maakte. Mijn eerste lied, zei hij altijd, heb ik gespeeld op een verwarmingselement, met een ijzeren buis. Hij had de verwarmingselementen om zich heen gezet, in een nieuwbouw flat, lange elementen, middelgrote, kleine en hij was in het midden gaan zitten en had met de buis tegen de elementen geslagen, urenlang. Hij zei dat hij zo zijn eerste melodie had ontdekt. Toen hij hem helemaal had, kwam zijn baas en gooide hem eruit."

"Gek, hè? Maar hoe kom je in de muziek? Kunt u me dat zeggen? Is er alleen maar de weg via het spelen thuis, via het conservatorium?"

"Waarom noemt hij zich Rocky? Is hij zo keihard?"

"Ik weet niet waarom", antwoordde Hans Potter en haalde zijn schouders op, "ze hebben toch allemaal van die namen." En opeens agressief voegde hij eraan toe: "Speelt dat een rol?

Maakt u zich soms al een bepaalde voorstelling?"

Karwenna suste hem.

"Nee, nee, wees maar niet bang. Ik heb geen vooroordelen, ik vraag zomaar wat."

Hij keek Hans glimlachend aan en hief het glas.

De jongen was nog steeds in alle staten. Karwenna nam zich voor om eens bij Potter te informeren of zijn zoon altijd zo heftig reageerde.

Hans Potter staarde stug voor zich uit, zijn hoofd tussen zijn schouders, zodat het leek of hij een bochel had.

"Ga door," zei Karwenna, "wie zijn de anderen. Eentje hebben we er al. Wie zijn de anderen?"

"Dan heb je nog" hij aarzelde weer. Hij vond het vervelend om te moeten antwoorden. Het leek of hij voortdurend naar een mogelijkheid zocht om geen antwoord te hoeven geven.

Karwenna wachtte rustig af.

"Dan heb je nog Holger Stemp, een lange, met rood haar."

"Schrijf op", zei Karwenna weer en wachtte tot Hans Potter de naam opschreef, langzaam, alsof hij tekende.

Welk instrument bespeelt hij?"

"Hij is slagwerker."

"Ook een amateur?"

"Ja," knikte de jongen, "hij was schilder, maar dat heeft hij al een hele poos niet meer gedaan." Hij voegde er aan toe: "Hij heeft van alles geprobeerd." Hij glimlachte: "Hij is ook bokser geweest."

"Is hij zo sterk?"

"Ja, hij is waanzinnig sterk, maar hij heeft geen techniek. En zijn trainer zegt, dat hij die ook niet krijgt, hij heeft er geen gevoel voor."

"Verder. De volgende?"

"Ingo Wicker."

Na een blik van Karwenna schreef Hans Potter de naam op. Hij had het hoofd gebogen als een scholier die zich moet concentreren op het schrijven.

"Wat voor een type?"

"Hij is klein."

"Hoe oud?"

"Midden twintig. Hij was van beroep" Hans aarzelde, mompelde toen, "ik weet het niet. Ik geloof dat hij helemaal niets heeft geleerd. Het kan zijn" nu fluisterde hij, "dat hij in de gevangenis heeft gezeten."

Hij keek op en voegde er toen snel aan toe: "Maar dat zegt niets. Dat zegt helemaal niets."

"Ik zeg ook niks", zei Karwenna kalm. "Wat voor instrument bespeelt hij?"

"Klarinet."

"Goed," zei Karwenna, "en nu het meisje?"

"Hoe weet u dat?" vroeg de jongen. "Dat vroeg uw collega ook al aan mijn vader. Hij vroeg: "Is er ook een meisje bij? Hoe komt u daarbij?"

Karwenna beantwoordde de vraag. "Er is dus een meisje bij. Schrijf haar naam op."

Het leek of de jongen weer wilde weigeren, maar toen boog hijzich toch weer over het papier.

"Ze heet Hilo Gluck."

Gehoorzaam schreef Hans haar naam op. Karwenna zag de aarzeling en hoorde de jongen zuchten.

"Een jong meisje?" vroeg Karwenna, "een knap meisje?"

Hans Potter knikte, alsof hij bang was zich met zijn stem te verraden.

"Hoe oud?"

"Twintig," fluisterde Hans, "ze speelt gitaar en zingt."

"Is zij ook amateur?"

"Ja, ze heeft in een kapsalon gewerkt, maar het beviel haar daar niet."

"Hm" zei Karwenna, "en die vier jongelui hebben een band opgericht?"

"Waarom niet?" was de tegenvraag van de jongen en zijn stem had weer die agressieve ondertoon gekregen."

"Ik bedoel, er moet er tenminste toch een verstand van muziek hebben."

"Ze hebben allemaal verstand van muziek", riep de jongen uit. "Ze willen muziek maken, ze houden ervan. Wie van muziek houdt, begrijpt er ook alles van. Meer dan degenen die muziek studeren."

Hij praatte nu vol vuur, keek Karwenna open aan, hij had een bepaalde hardnekkige blik in zijn ogen.

Karwenna haalde het bloknoot weer naar zich toe en keek naar de namen. Ze waren zorgvuldig onder elkaar geschreven. Hans Potter had gevoel voor orde.

"Goed," zei Karwenna, "laten we die jongelui eens gaan opzoeken. Waar woont Harro Wensler?"

"Bij station Oost." Hij vertoonde nu een soort paniek. "Gaat u naar hem toe?" NU?"

"We hebben immers de tijd. Jij toch ook."

"Ja, maar", de jongen wist niet meer wat hij zeggen moest. Haastig zei hij: "Maar hij is nu vast niet thuis. Om deze tijd is hij nooit thuis."

"Heeft hij telefoon?"

"Nee, hij heeft geen telefoon", antwoordde de jongen bijna opgelucht.

"Nou, dan rijden we er even langs," zei Karwenna, hij wenkte de dienster en rekende af. De jongen zat er verslagen bij.

Zwijgend stond hij tenslotte op en volgde Karwenna naar de auto.

Ook in de auto bleef de jongen zwijgen en alle pogingen om hem uit de tent te lokken liep op niets uit.

"Hier", zei Hans Potter en wees op een huis. Het lag recht tegenover station oost, een grote huurkazerne, minstens vijftig, zestig jaar uit, grijs, lelijk, mistroostig.

Ze liepen de trap op. De trap was smal, met houten treden die glommen van de boenwas. Op ieder portaal twee huisdeuren. De sleutel met het bordje "trap" hing nu eens voor de ene, dan weer voor de andere deur. De bewoners deden hun best om de oude kast zo gezellig mogelijk te maken. Toch rook het in het hele huis naar boenwas, groenten en naar vochtige muren.

Hans Potter wees op een deur, stond zelf vlak bij de trap en hield zich vast aan de leuning. Hij had zijn blik strak op de deur gericht.

Karwenna belde aan, het was een trekbel, die geen nagalm gaf.

Een al wat oudere vrouw deed de deur open. Ze droeg een bril, waarvan de glazen zo sterk waren, dat ze zelfs glinsterden in het zwakke licht van het trappenhuis. De vrouw was zwaar bijziend, ze had haar hand uitgestoken en zei:

"Ja, wat is er."

"Ik ben het, mevrouw Wensler, Potter", zei Hans.

"Ach, ben jij het", antwoordde de vrouw en begon gelijk haar handen aan haar schort af te vegen. Ze stak haar hand uit en Hans pakte hem en schudde hem.

Toen keek mevrouw Wensler naar Karwenna.

Karwenna stelde zich voor.

"Jullie komen zeker voor Harro," zei mevrouw Wensler, "maar hij is er niet. Hij is naar MacDonalds op de hoek."

"Goed, dan gaan we daar wel heen", zei Karwenna.

Ze namen afscheid en liepen de trap weer af.

"Was dat zijn moeder?" vroeg Karwenna.

"Ja, zijn moeder."

Hans Potter bleef staan, zonder enige reden en keek Karwenna aan. "Een fantastische vrouw", riep hij op bezwerende toon uit. Hij herhaalde het nog eens: "Een fantastische vrouw, waar niemand iets van zeggen kan."

"Dat doet toch ook niemand", zéi Karwenna lakoniek en voegde er toen zakelijk aan toe: "Waarom is ze zo fantastisch?"

"Omdat ze gehandicapt is."

"Ze is bijziend."

"Ja, dat is ze inderdaad en ze heeft maagkanker. Ze gaat dood."

De jongen keek Karwenna opeens met een vuurrood hoofd aan.

"Een fantastische vrouw," zei hij, "ze weet het, maar ze houdt zich geweldig, houdt haar huis schoon, doet, alsof er niets aan de hand is, praat er ook heel openhartig over. Ze is" hij zocht naar een vergelijking, "ze is de ziel van het gezin, het hart ervan."

De jongen brak zijn woorden af, maar hield zijn blik nog steeds op Karwenna gericht, alsof het voor hem belangrijk was om te zien hoe zijn woorden overkwamen.

"Is dat belangrijk?" vroeg Karwenna nuchter.

"Man," zei Hans spontaan, "u verdenkt haar zoon van alles en nog wat. U denkt zelfs dat hij een moordenaar kan zijn. Dat is toch zo" riep hij heftig uit, zijn stem trilde. "Speelt het voor u een rol waar iemand vandaan komt? Uit wat voor gezin hij komt? Wat hij voor een gezin heeft?" Zijn stem klonk nog steeds opgewonden: "Als ik zo'n vrouw zie, dan is moord wel het allerlaatste waar ik aan denk."

Jongen, dacht Karwenna, wat kun jij praten.

"Vergeet niet," zei Karwenna rustig, "dat ik het niet over moord heb gehad. Je vader heeft een verdenking en die trekken we na."

"Mijn vader vergist zich," bezwoer de jongen. Hij keek Karwenna aan, herhaalde het nog eens: "Hij vergist zich."

"Nou", zei Karwenna, "dan zullen we je vader bewijzen, dat hij zich vergist."

Ze gingen naar buiten. De wolken hingen weer loodzwaar boven de huizen. De wind loeide om de hoeken van de straten, vanaf het station hoorde je het geratel van de treinen.

Hans Potter liep naast Karwenna. Hij liep met verende passen, opgewekt. Hij had het hoofd geheven, de lippen iets geopend. De opwinding en spanning kwamen nu naar buiten. De jongen bewoog nu levendig zijn hoofd. Hij glimlachte, soms schudde hij ook zijn hoofd, alsof hij in zichzelf sprak.

Ze gingen MacDonalds binnen. Meteen bij de deur bleef Hans staan. "Daar is hij."

Aan de bar zat een lange, slungelige jongen. Hij droeg een spijkerbroek en een blauwe trui. Hij droeg geen jasje, maar hij had het kennelijk niet koud. Zijn gezicht werd bedekt door een bijna zwarte baard. Die baard bedekte zijn kin en bovenlip. Harro Wensler had zich omgedraaid, liet zich langzaam van zijn kruk glijden.

"He", zei hij. "Hans. Hallo."

Hij stak zijn rechterhand even op, meteen daarna ging zijn blik naar Karwenna. "Zoek je mij of kom je hier toevallig?"

"Ik zoek je", zei Hans Potter en Karwenna hoorde dat zijn stem weer een matte klank had gekregen, alsof een of andere onbekende di in alle hevigheid terugkeerde.

"Dag, Rocky", mompelde hij en bleef wat onzeker en verlegen staan.

Rocky's baard spleet ineens in tweeën, hij lachte een rij blinkend witte tanden bloot.

De jongen met de baard gaf Hans een vriendschappelijke

por.

"He," zei hij, "hoe gaat het met je?"

Het leek of Hans alleen op deze begroeting had gewacht, hij keek opgelucht, lachte nu ook, beantwoordde de stomp en zei: "Goed, Rocky. Ik voel me" Hij brak zijn zin af. Maar toen herstelde hij zich weer en herhaalde: "Ik voel me heel goed."

Opeens keek hij naar Karwenna, alsof het ineens tot hem doordrong, dat die opmerking niet helemaal op zijn plaats was, zijn gezicht versomberde. "Er is iets gebeurd", zei hij, "onze procuratiehouder is gisteravond doodgeschoten. En we hebben ook een overval gehad," hij keek naar Karwenna, "kun je het zo zeggen? Overval?"

"Ja, dat kun je zeggen", antwoordde Karwenna kalm.

"Er is een steen bij ons door het raam gegooid en daarna is er op mijn vader geschoten."

Karwenna hield de baardige jongen in de gaten.

"Ach," zei Harro Wensler verbaasd. "Wat vertel je me nou?" Is jullie procuratiehouder vermoord?"

"Ja, hij is vermoord."

"Maar, hoor eens", zei Harro Wensler en wendde zich tot Karwenna. "Wie bent u dan?"

"Politie", zei Hans Potter. "Recherche. Ze zijn met een onderzoek bezig."

"Oh", zei Harro tegen Karwenna. "Vertelt u me dan eens wat er is gebeurd."

Karwenna knikte, hield Harro scherp in de gaten en vertelde precies, bijna omstandig, wat er gisternacht allemaal was gebeurd. Hans Potter stond er met afhangende schouders bij, nerveus, durfde niet op te kijken. Rocky had zijn mond weer dichtgedaan. Zijn lippen leken merkwaardig rood in het zwarte krulhaar van zijn baard. Zijn blik was vol en zonder aarzeling op Karwenna gericht. Er was geen onzekerheid of verwardheid

71

in, alleen maar aandacht.

Toen Karwenna was uitgesproken, slaakte hij een diepe zucht.

"Nou", zei hij, "dat is ook een spannend verhaal."

"Kent u meneer Wilke?" vroeg Karwenna.

"Ja," Rocky knikte, "ik ken hem, hij is een paar keer bij ons in de zaak geweest. U weet, dat we met mijn band in een van de zaken van meneer Potter hebben gespeeld?"

"Ja, dat weet ik."

"Hij is een paar keer wezen luisteren en verdween dan weer. We hebben nauwelijks een woord met elkaar gewisseld. Ik heb alleen maar een vage indruk van die man."

Het leek of hij zijn indruk toch wat exacter wilde weergeven. "Hij kwam nogal flets op me over. Iemand die geen eigen mening heeft." Hij grinnikte opeens. "Hij had voor mij iets van een hond."

"Een hond?"

"Ja, hij zat in de zaak, alsof iemand "zit" had gezegd. En nou zat hij daar, tot iemand "loop" zei."

Hij glimlachte, keek naar Hans Potter, alsof hij wilde weten wat die ervan vond, maar Hans Potter keek nu weer ernstig en was bleek, er kon geen lachje af.

"U kent meneer Potter beter?"

"Ja, die ken ik natuurlijk beter", mompelde Rocky zacht en Karwenna zag, dat de jongen wat rechterop ging staan, nauwelijks merkbaar, alsof hij zijn spieren een bevel had gegeven, het bevel om zich nu heel kalm te houden, zich niet te laten verleiden tot een onverwachte beweging.

Tergend langzaam legde hij een afgebrande lucifer weg.

"Hij heeft ons geëngageerd. We hadden veel meer contact met elkaar."

Zijn stem klonk koel. Niet alleen koel, vond Karwenna, maar

er lag duidelijk voorzichtigheid in.

"Ik heb gehoord," begon Karwenna nu heel openhartig, "dat u ruzie heeft gehad met Potter. Hij heeft u eruit gegooid. Is dat juist?"

"Ja, dat is juist", zei Harro Wensler langzaam. "Onze opvattingen liepen uiteen. Hij gooide ons eruit, van het ene ogenblik op het andere." Hij glimlachte. "Hij is iemand die zo moet handelen, dat is zijn karakter nu eenmaal. Hij is gewend beslissingen te nemen, dat doet hij snel, zonder toestanden, maar ook zonder enige hoffelijkheid." Hij lachte nu harder. "Nee, hoffelijk was hij niet. Hij zei nogal bruut: "Eruit! Over vijf minuten is alles van jullie hier weg."

Hij haalde zijn schouders op.

"Geen vriendelijke hond", mompelde Karwenna.

Haast vrolijk antwoordde Harro: "Nee, dat was hij beslist niet. Hij is het type dat honden africht. Zelf is hij iets anders."

"Wat is hij?"

"Vraagt u me dat serieus?"

"Ja, heel serieus."

De jongeman dacht even na. Hij begon aarzelend: "Weet u, dat is niet zo eenvoudig. Die man is gecompliceerd. Een heel interessant type. In de eerste plaats: Hij is een goede zakenman. Hij heeft zijn zaakjes op een rijtje. Hij heeft een concept" hij aarzelde, had zijn blik naar binnen gericht alsof hij zo beter kon nadenken, "hij heeft niet alleen een concept voor zijn zaken, hij heeft een concept voor practisch alles." Hij had nu zelf het gevoel dat hij iets onbegrijpelijks zei en haastte zich eraan toe te voegen, "neem me niet kwalijk, ik weet, dat ik me niet duidelijk uitdruk. Ik heb over die man nagedacht en ben er nog niet helemaal uit. Maar van dat "concept" is waar. Daar zeg ik niets verkeerds mee. Hij heeft een concept voor zichzelf, voor zijn leven, voor zijn gezin, voor alles wat hij in zijn leven tegenkomt."

Hij zuchtte, hij leek blij dat hij het gezegd had. Hij keek Karwenna met een openhartige, bijna nieuwsgierige blik aan.

"Waarom heeft Potter u eruit gegooid?"

"Dat hoort u toch: "We pasten niet in zijn concept."

Hij haalde zijn schouders op. "We maakten niet het soort muziek, dat hij zich had voorgesteld."

Harro Wensler keek Karwenna weer nieuwsgierig aan, met een bijzonder intensieve blik.

"Meneer Potter denkt dat een van u de procuratiehouder neergeschoten kan hebben."

"Daar kun je niets tegen doen", antwoordde Harro Wensler "het is zijn goed recht om mogelijkheden te uiten. Hij verhief zijn stem: "Zo, hij denkt dus dat een van ons de procuratiehouder heeft doodgeschoten." Hij onderbrak zichzelf: "waarom meneer Wilke?"

"Het lijkt erop dat de moordenaar Wilke en Potter met elkaar verwisseld heeft."

Harro keek Karwenna geïnteresseerd aan.

"Ach, nu begrijp ik het. Beide keren was meneer Potter bedoeld, hem zelf, hem alleen."

"Ja, dat lijkt wel zo."

Rocky glimlachte afwezig. "U gaat ervan uit, dat de moordenaar zijn vergissing heeft bemerkt en niet wilde opgeven. Dezelfde nacht rent hij nog naar Potters huis om hem daar naar het raam te lokken en dood te schieten."

"Ja, dat kan best zo gegaan zijn."

"Bent u er niet van overtuigd?" vroeg Harro.

"Nee, helemaal overtuigd ben ik pas, als ik weet wie de dader is en als hij een bekentenis heeft afgelegd."

"Zijn dat twee verschillende dingen?" vroeg Harro ernstig.

"O ja," antwoordde Karwenna, "vaak wist ik wel wie de

dader was. Maar op zijn bekentenis moest ik wachten. Soms kreeg ik die ook helemaal niet."

"Een interessant beroep heeft u", zei Harro Wensler nuchter, "je hebt er een groot voorstellingsvermogen voor nodig."

"Ja, dat is zo."

"Heeft u zoveel mensenkennis?" zette Harro het gesprek voort.

"Niet voldoende", antwoordde Karwenna, "ik leer nog steeds bij."

Harro stak zijn bewondering nu niet meer onder stoelen of banken. "Het doet allemaal erg bescheiden aan wat u zegt", zei hij. "Ik dacht altijd dat politiemannen heel zelfverzekerd optraden. Zo'n type bent u niet."

"Nee, zo ben ik niet", antwoorde Karwenna. Hij registreerde een grote zekerheid bij de jongeman, maar niet alleen zekerheid, ook behoedzaamheid, voorzichtigheid en hij vroeg zich af wat dat te betekenen had. De jongen hield zich in bedwang, had iedere beweging onder controle. En daar moest een reden voor zijn.

Karwenna sloeg zijn ogen neer. Hij wilde vermijden, dat het leek of hij de jongeman observeerde. Hij lachte een beetje verontschuldigend. "Ik moet u vragen waar u gisteravond was. Eerst om acht uur. Daarna tegen twee uur 's nachts."

"U vraagt naar mijn alibi?"

"Ja."

Harro Wensler aarzelde, fronste zijn voorhoofd, keek een tijdje naar de grond en keek toen Hans Potter aan. "Ben je daarom meegekomen?"

"Ze wilden het, mijn vader wilde het", zei de jongen. "Ik zei meteen dat het allemaal onzin was."

Hans Potter had zweetdruppels op zijn voorhoofd staan. Er was hem kennelijk erg veel aan gelegen, dat Harro hem goed begreep.

Hij bezwoer: "Ik heb meteen gezegd, dat niemand van jullie het gedaan kan hebben."

"Het is al goed", stelde Harro de jongen gerust, "alles is in orde."

Harro stak zijn hand uit, om Hans Potter aan te raken, maar veranderde toen van gedachten, trok de jongen met een onverwachte beweging tegen zich aan, hij nam het hoofd van de jongen in zijn handen en drukte het gezicht van Hans tegen het zijne. Zo bleef hij een poosje staan, toen liet hij de jongen pas los.

"Ik weet hoe je je voelt", zei Harro, "misschien heb ik dat niet voldoende duidelijk gemaakt." En tegen Karwenna vervolgde hij op zakelijke toon: "Gisteravond om acht uur waren we in een kelder in de Fortunastraat aan het oefenen."

"Wie we?" vroeg Karwenna.

Nuchter telde Harrop op: "Ik, twee vrienden van me en Hilo Gluck, een meisje, onze zangeres. We hebben die kelder gehuurd om op volle geluidssterkte te kunnen spelen. En dat doen we dan ook. Dat hoeft u alleen maar aan de bewoners van het huis te vragen. We spelen weliswaar in de kelder, maar ze horen ons toch." Gelaten vervolgde hij: "Om twee uur lagen we allemaal in bed, zoals het hoort."

Zijn stem klonk rustig, toch viel Karwenna de manier op waarop Harro hem aankeek, alert, alsof hij wilde zien hoe Karwenna het zou opvatten, of hij er genoegen mee nam.

"Goed," zei Karwenna, "ik moet dat natrekken."

"Maar natuurlijk, doet u dat maar", antwoordde Harro onverschillig.

"Waar kan ik uw vrienden vinden?"

"Wilt u hen dezelfde vragen stellen?"

"Ja."

Harro draaide zich om, riep de kelner en betaalde. "Heel simpel," zei hij, "we komen om vier in de kelder bij elkaar om te oefenen. We studeren een programma in. We hebben namelijk kans op een contract."

Hij keek op zijn horloge. "Het is Fortunastraat 14, je komt via de binnenplaats in de kelder. Alles staat open. U hoort ons dan wel." Hij aarzelde. "Komt u alleen?"

"Moet Hans Potter liever niet meekomen?"

"Begrijp me goed", zei Harro, "die arme jongen staat nogal onder druk." Hij aarzelde, keek toen op. "Heeft je vader je gevraagd om mee te gaan?"

Hij wachtte het antwoord niet af, zei met een glimlach tegen Karwenna: "Zijn vader was kennelijk van mening, dat wij een slechte invloed op zijn zoon hadden. Hij heeft hem verboden met ons om te gaan."

Karwenna keek Hans Potter aan. "Heeft hij dat gedaan?"

De jongen knikte. "Ja," zei hij zacht, "hij wilde niet, dat ik met hun omging."

"Terwijl het toch alleen maar de muziek was, die ons met elkaar verbond", grijnsde Harro, "alleen de muziek. Muziek kent geen standsverschil, geen arm of rijk, geen mooi of lelijk!" Hij lachte, zijn stem had een steeds sarcastischer klank gekregen.

★

Karwenna bracht Hans Potter thuis. De jongen zat de hele weg zwijgend naast Karwenna. Zijn levendigheid was weer volkomen verdwenen, nu Harro Wensler niet meer in zijn buurt was.

In huize Potter werd Karwenna door mevrouw Potter ontvangen.

"Is er al iets uitgekomen?" vroeg ze met een hoge stem en glimlachte onzeker, "ik ben er voortdurend op voorbereid afschuwelijke berichten te krijgen. Is alles in orde?"

"Ja, alles is in orde. Uw man is?"

"Nog op kantoor." Ze lachte opeens: "U denkt toch niet dat hij hierom zijn plichten verzaakt. Dan kent u mijn man slecht."

De omgeving kwam weer heel plezierig op Karwenna over. Die ontzettende verzorgdheid!

Er stond een magere man op uit een stoel.

"Mijn broer," stelde mevrouw Potter hem voor, "mijn man heeft hem gevraagd hier naar toe te komen, zodat er een man in huis is. Weet u dat ik vreselijk nerveus wordt, als er aan de ingang wordt gebeld of als de telefoon gaat? Ik durf de tuin bijna niet in."

Ze lachte verlegen. "Ontzettend, hè? Ik heb het gevoel of de muren opeens zijn gescheurd." Ze dacht nog eens over die formulering na, knikte toen. "Ja, ik geloof dat ik me zo wel goed uitdruk. Het is precies zoals ik het voel; de muren zijn gescheurd."

De al wat oudere man stond nog steeds naast mevrouw Potter, maakte een nerveuze indruk hij voelde zich kennelijk niet opgewassen tegen de taak die hem was opgelegd.

"Hoe groot is het gevaar?" vroeg hij. "Ik probeer me erop in te stellen, maar ik weet niet wat ik verwachten kan."

"Lieve hemel," riep mevrouw Potter uit, "misschien wordt er wel weer een steen door het raam gegooid. Dan hol je naar de telefoon." Ze lachte opeens: "Een ding weet ik zeker: Je holt niet naar de geweerkast."

"Vast niet," zei de man ontzet, "ik heb nog nooit een geweer aangeraakt in mijn leven."

78

"Nee," zei mevrouw Potter, "een grote hulp ben je zeker niet."

Ze wendde zich nu tot Karwenna en haar zoon. "Zijn julie iets aan de weet gekomen?"

"Nee", zei Hans Potter. Hij zag er bleek en lusteloos uit.

"Je ziet er afschuwelijk uit", constateerde mevrouw Potter.

"Kan ik even gaan liggen?" vroeg de jongen, "ik heb vannacht niet al te best geslapen."

"Nee zeg, die is goed", riep mevrouw Potter spontaan uit, "ik zou niet weten wie er hier in huis wel heeft geslapen vannacht. Maar ga maar naar boven, ga even liggen."

Hans Potter keek naar Karwenna: "Vindt u het goed?"

"Geen bezwaar", zei Karwenna vriendelijk lachend. De jongen draaide zich om, liep de trap op, precies op het moment dat Eva Wilke verscheen.

"Eva," riep mevrouw Potter, "kun je naar beneden komen. De kommissaris is er."

"Ah," zei de slanke jonge vrouw, tastte met haar hand naar de leuning, "ja, ik kom."

Ze kwam de trap af, liep langs Hans Potter, die een stap opzij had gedaan.

"Heel goed," zei Eva Wilke, "ik had gisterennacht met u willen praten, maar ik was er niet toe in staat."

"Maar dat weet de kommissaris toch. We hadden er allemaal het volste begrip voor."

Eva Wilke gaf Karwenna een hand.

Een mooie vrouw, dacht Karwenna. Een breed gezicht, hoge jukbeenderen, haar lippen waren fijngetekend, bleek, onopgemaakt, daardoor maakten ze een bijzonder gevoelige indruk. Haar neusvleugels trilden, bewogen bij iedere ademhaling. Haar ogen waren groot, de pupillen vergroot, misschien nog onder de invloed van medicijnen. Ze had asblond haar, ze had geen vol stevig kapsel, het haar leek een beetje dun, alsof de algemene indruk van teerheid zich tot in de haren doorzette.

Haar handdruk was slap, haar hand zo licht als een veertje.

"Bent u al een beetje tot uzelf gekomen?" vroeg Karwenna.

"Ik kan me beter beheersen", fluisterde de jonge vrouw.

"De eerste hevige pijn, zo'n pijn die je gek kan maken, is voorbij. Maar er zit nog iets van binnen." Ze wees met een vreemde ernst op haar borst. "Er zit iets binnenin me, wat niet meer weg wil. Ik krijg het er soms benauwd van."

Karwenna dacht: Ze is nog niet zichzelf. Of praat ze altijd zo?

Eva Wilke keek Karwenna vol aan.

"Waarom komt u hier, kommissaris? Heeft u al een spoor?"

"Er is intussen wel het een en ander gebeurd", zei mevrouw Potter: "Ewald heeft de kommissaris verteld dat hij een bepaalde verdenking had."

"Heeft hij een verdenking?" zei Eva ademloos.

"Hij denkt, dat een van de musici, die hij tien dagen geleden heeft ontslagen, de moordenaar zou kunnen zijn."

"Een van de musici? Welke musici?"

"Je weet wel," zei mevrouw Potter, "we zijn nog eens een keer naar dat bandje gaan luisteren. In die vreselijke bar," ze onderbrak zichzelf, sloeg haar hand voor haar mond en keek Karwenna verbijsterd aan. "In hemelsnaam", zei ze geschrokken. "Zeg er niets van tegen mijn man. Hij zou het ons nooit vergeven dat we daar zijn geweest."

Ze lachte, maar haar verzoek was kennelijk serieus gemeend, ze bleef Karwenna aankijken en zei nog eens: "Belooft u het?"

"Goed", mompelde Karwenna.

"We zouden grote moeilijkheden krijgen, Eva en ik. We zijn er alleen heen gegaan omdat we er zulke fantastische dingen over hadden gehoord."

"Fantastisch dingen?"

80

"U kent het toch."

"Nee, ik ken het niet."

"Kent u de Black niet?"

"Heet het de Black?"

"Ja, omdat het nou ja, het is een heel donker café, een heel speciaal soort. Mijn man heeft dit projekt, sorry, maar ik gebruik de woorden van mijn man, hij heeft dat projekt meege-bracht uit Engeland. Een primitief café met primitieve muziek. Die cafés lopen ontzettend goed in Engeland. Ik wilde alleen maar zeggen, zijn verhalen hadden ons erg nieuwsgierig gemaakt en we zijn er een keer naar toe gegaan."

Ze lachte en wendde zich tot Eva: "Herinner je je nog? Onge-veer twee maanden geleden."

Helene Potter wendde zich weer tot Karwenna: "Doodze-nuwachtig gingen we naar binnen, vermomd."

"Vermomd?"

Helene Potter knikte, toen ze het verbaasde gezicht van Kar-wenna zag. "Ja, u heeft het goed gehoord. We hebben ons ver-kleed, heel oude kleren aangetrokken, daar moesten we eerst aan zien te komen, want wie heeft die nou? Wij hadden werke-lijk niets, ik heb een heel oude broek aangetrokken die ik van mijn werkster had geleend. Het was werkelijk een avontuur."

Haar gezicht lichtte op bij de herinnering. Je kon zien dat ze veel plezier had gehad. Eva Wilke stond er beleefd bij te luiste-ren.

"Weet u," zei Helene, "we waren vreselijk nieuwsgierig naar dat café, na alles wat mijn man erover had verteld. Hij zei: Ik moet musici hebben, die geen verstand hebben van muziek." Ze onderbrak zichzelf, keek Karwenna lachend aan. "Dat is toch iets bijzonders voor een café waar een band een hele avond speelt. Daar waren we nou zo nieuwsgierig naar." Ze wendde zich weer tot Eva Wilke: "Herinner je je nog?"

"Ja, ik herinner het me."

"Maar mijn man zei: Dat is nou juist de aantrekkingskracht van dat café. Ik zei u al, hij heeft dat projekt meegebracht uit Engeland.

De muziek daar is heel anders. Geen melodie meer, alleen", ze aarzelde, keek Eva aan, "wat zei hij ook al weer? Alleen een soort ritmisch lawaai." Ze had het gevoel dat ze zich niet goed uitdrukte en dat maakte haar onzeker. Ze haalde haar schouders op en lachte verontschuldigend.

"We waren in ieder geval nieuwsgierig. Vooral ook omdat mijn zoon over die musici had verteld. Hij zei, dat ze erg interessant waren", ze richtte zich nu weer tot Eva: "Zei hij interessant? Nou ja, in ieder geval gebruikte hij een dergelijke uitdrukking. Hij zei, dat het vrienden van hem waren."

"U kent die musici dus?"

"Ja, we hebben ze gezien en gehoord. Weet u, zo slecht waren ze helemaal niet. Dat vond ik tenminste niet." Ze keek weer naar Eva Wilke. "Jij ook niet. We hebben het er nog over gehad. Ze zaten er af en toe vreselijk naast. Vooral de klarinettist. Hij maakte zich er steeds erg nijdig over, waar iedereen vreselijk om moest lachen, maar de trompettist vond ik erg goed."

"Weet u ook hoe hij heet?"

"Harro, nietwaar?" zei mevrouw Potter, "een heel erg lange jongen, met een baard, die" ze lachte, "met een enorme baard. Maar die jongen was erg groot, heel breed in de schouders en hij haalde klanken uit zijn trompet, die" ze zocht lachend naar woorden, "die me wat deden." Ze keek weer naar Eva. "Jou trouwens ook. We hebben het er nog over gehad."

"Ja, ik weet het", zei Eva Wilke, die het gesprek kennelijk vermoeiend vond. Ze maakte een abrupte beweging.

"En een van die mensen zou de moordenaar zijn?"

"Ewald denkt het."

82

Helene Potter keek Karwenna aan. "U ook niet?"

"Het is niet uitgesloten", zei Karwenna terughoudend.

Helene Potter zei na een korte aarzeling: "Er is een ding dat je nog niet weet, Eva. De politie is ervan overtuigd dat Franz het slachtoffer geworden is van een verwisseling. Ze hebben Ewald willen vermoorden. Franz zat aan Ewalds bureau." Ze onderbrak zichzelf, zag er opeens hulpeloos uit, alsof ze iets gezegd had, dat Eva erg moest schokken. Ze sloeg haar arm om de schouders van de jonge vrouw, die er inderdaad totaal verslagen bijstond, lijkbleek was ze geworden.

"Wat?" fluisterde ze.

"Het spijt me," zei mevrouw Potter, "maar het is zo. Je was er toch eens achter gekomen."

Eva Wilke was niet in staat om iets te zeggen, ze boog haar hoofd, haar schouders hingen naar voren, alsof ze ineens gebukt ging onder een zware last. Heel plotseling maakte ze een beweging, ze keek Karwenna aan: "Is dat waar?"

"Ja", knikte Karwenna. "We hebben drie kogels onderzocht. Ze zijn alle drie afkomstig uit dezelfde revolver."

"Ooooh", zei Eva met een hoge, trillende stem.

"Ik weet, wat het voor je betekent," zei mevrouw Potter zacht, "we vinden het allemaal verschrikkelijk. Op zo'n tragische manier te sterven."

"Ja," knikte Eva Wilke, ze leek verdoofd, knikte toen nog eens, "ja, je hebt gelijk."

Ze omhelsde Helene Potter. De twee vrouwen steunden elkaar en mevrouw Potter probeerde Eva te troosten.

★

Karwenna verliet het huis.

Op straat trof hij Claudia Potter. Ze stapte net uit een kleine mini cooper, wilde naar het hek toelopen om het open te doen.

Ze herkende Karwenna en sprak hem meteen aan.

"Nog nieuws?" vroeg ze.

Claudia droeg een grijs leren pak, daaronder een zwarte blouse, die wijd open stond. Je zag het begin van haar borsten, zachtheid, jeugd. Het blonde haar viel sluik naar beneden. Ze was een meisje dat je nakeek, met afgunst en verlangen.

"Luister eens," zei ze zacht, "mijn vader had gisteren een verdenking."

"Die musici."

"O, u weet het al. Wat denkt u ervan? Bent u er al achteraan geweest?"

"Ik heb een van de musici gesproken."

"Harro?"

"Ken je hem?"

"Mijn broer had het er wel eens over, vaak zelfs. Wat zegt hij?"

"Hij heeft een alibi."

Claudia had Karwenna weggetrokken voor de ingang, zodat ze vanuit het huis niet gezien konden worden.

"Ik heb hem een of twee keer gezien. Heel vluchtig. Ik heb niet met hem gesproken, maar mijn broer heeft me veel verteld. En ik heb een bepaalde indruk gekregen: Die Harro is een persoonlijkheid. Wat niet alleen iets goeds hoeft te betekenen. Hij is intelligent. En als hij zegt dat hij een alibi heeft, dan is het heel goed mogelijk dat hij er schijnbaar een heeft. Ik zou het nagaan."

"Nou eerst eens even", zei Karwenna, "waarom zou die Harro je vader zo haten?"

"Hij heeft die musici toch ontslagen. Ze moesten van het ene moment op het andere die tent uit."

"Is dat een reden om iemand te vermoorden?"

"Die jongens waren beginners, amateurs, geen beroepsmusici. Mijn vader heeft eerst instrumenten voor ze gekocht. Die heeft hij natuurlijk van ze afgenomen, de klarinetten, de jazztrompet, het slagwerk. Ze moesten van het ene moment op het andere alles laten liggen. Het was ontzettend ontmoedigend voor ze."

Ze keek Karwenna doordringend aan, alsof ze op die manier haar woorden wilde benadrukken.

"Weet u,", ging Claudia verder, "mijn vader had ze hoop gegeven. Ze hebben hun beroepen opgegeven, ze waren, geloof ik monteur, magazijnbediende, in ieder geval afkomstig uit de lage milieus, uit asociale milieus zelfs, volgens mijn vader. Hij heeft instrumenten voor ze gekocht en ze zagen zichzelf al als musici. Zonder muziek gestudeerd te hebben. Geen van hen heeft ooit een uur les gehad."

Ze lachte, haar ogen waren vreemd, koel en opgewonden.

"Mijn vader zei dat hij een experiment deed met deze jongens."

"Nou," zei Karwenna, "dat experiment is dus mislukt."

"Ja," knikte Claudia, "en ze wilden niet terug."

"Terug waarheen?"

"Ze wilden geen monteur, magazijn bediende meer zijn. En ze zijn vast en zeker zo kwaad op mijn vader geworden, dat ze hem wel konden vermoorden."

"Ik begrijp het", zei Karwenna.

Het meisje deed het hek open, gleed soepel achter het stuur van de mini en stoof het hek binnen, naar het bordes, waar de magere broer van mevrouw Potter stond, grijs en klein onder het reusachtige afdak.

IV

Tegen vier uur reed Karwenna naar de Fortunastraat. Het was een straat in een buitenwijk, waarin al wat oudere huizen stonden van vier verdiepingen. Rijen schoorstenen tekenden zich af tegen de lucht, de daken waren bezaaid met televisieantennes.

Karwenna stapte de geasfalteerde binnenplaats op. Die was aan twee kanten begrensd door muren van huizen, de andere kanten waren afgesloten met bouwvallige houten hekken. Twee houten palen droegen een geteerd dak, waaronder wagens stonden, vuilnisemmers en allerlei rommel.

Karwenna hoorde muziek. Het drong door een kelderraam naar buiten. Het klonk niet slecht, had veel ritme, hoewel het slagwerk iets te hard was. De jazztrompet gaf een zachte, gevoelige klank.

De keldertrap was van steen, oud, verweerd en uitgesleten, de kelder zelf bleef een donker gat, de vloer bestond uit platgetrapte aarde, waar vond je nog zoiets? Gloeilampen zorgden voor licht. Karwenna liep op de muziek af en deed tenslotte een houten deur open.

De muziek stopte onmiddellijk.

Deze ruimte was beter dan de eigenlijke kelder. Hij had

betonnen muren, tamelijk wit. Verscheidene gloeilampen zorgden voor gelijkmatig licht.

Karwenna zag vier jongelui.

Harro Wensler legde zijn jazztrompet weg en begroette Karwenna: "Daar bent u dus, mag ik u mijn vrienden voorstellen."

Hij schoof een wat kleine, stug kijkende jongen naar voren. Een smal hoofd, lange, spitse neus, en grote, vochtige ogen. Hij zag eruit zoals dieren eruit zien, als 's nachts plotseling door een koplamp verblind en met starre ogen roerloos blijven staan.

"Dat is Ingo Wicker. Hij speelt klarinet."

Harro duwde de jongen naar Karwenna toe. Die verzette zich bijna tegen die beweging.

"Wees maar niet bang", Harro grijnsde Karwenna toe. "Hij is bang voor de politie. Dat zit heel diep bij hem. Ik geloof, dat zijn vader nogal eens problemen met de politie heeft gehad.;"

"Laat me", verzette Ingo Wicker zich tegen de manier waarop Harro hem naar voren duwde. "Ik ben niet bang voor de politie," zei hij, "ik ben helemaal niet bang voor de politie, hoe kom je daar bij?" De politie kan me geen barst schelen."

"Trekt u zich maar niets van hem aan," zei Harro tegen Karwenna, "hij spuugt als je hem aanraakt, zo is hij nu eenmaal."

"Man, man," zei Ingo, "laat me toch met rust met je verhalen."

Karwenna zag dat de jongen zijn klarinet tegen zich aanklemde. Zijn vingers speelden er voortdurend mee. Hij staarde Karwenna aan. De jongen was een en al verzet.

"Dat is Holger Stemp", stelde Harro verder voor en wees op een jongeman, die groot en grof was en breed geschouderd. De man was een en al spieren, dikke benen, krachtige heupen, een straffe nek, met een rood, dik gezicht. Een warrige bos rood haar bekroonde deze opvallende verschijning. Holger Stemp had merkwaardig kleine oogjes. Misschien kneep hij ze wel

87

dicht, omdat hij bijziend was. Hij keek uitdrukkingsloos naar Karwenna. Een gevoel van vijandigheid kwam op Karwenna af.

Karwenna stak zijn hand uit, maar Holger Stemp nam de hand niet aan. Hij negeerde hem.

"Man," zei Harro, "geef de kommissaris een hand. Je ziet toch dat hij hem uitsteekt."

"Moet ik elke idioot een hand geven?" zei Stemp en keek Karwenna aan.

"Hij bedoelt het niet zo," zei Harro lachend, "hij noemt iedereen een idioot, zichzelf incluis. Zo is hij nu eenmaal."

"Ik begrijp het wel," zei Karwenna en kon zijn ogen bijna niet afhouden van dat enorme brok mens. Zo'n type kwam je niet vaak tegen.

"Dat is Hilo Gluck, een pronkstuk," zei Harro en wees op het meisje.

Een lang, pezig meisje, smalle heupen en soepel. Ze had nauwelijks billen, de harde, stevige buik welfde iets, ze was gespannen als een veer. Ze droeg een afgedragen spijkerbroek en een te kort truitje met haar bruine buik bloot. Ze had kort bruin haar, een jongenskop. Alles aan haar was mager, zonder rondingen. Alleen haar neus was smal en fijn. Ze had grijze, doffe ogen.

"Hai", zei Hilo en stak haar hand op. Dat was haar hele begroeting. Ze had een gitaar om haar nek. Ze had een nuchtere blik, waarin de realiteit van een straathoer lag.

"Tja," zei Harro, "dat is nou ons groepje, we staan tot uw beschikking."

"Heeft u ze al verteld waar het om gaat?"

"Ja, ik heb het verteld. Ik heb gezegd dat Wilke dood is, dat iemand hem in de rug heeft geschoten. Kennelijk een verwisseling, want Potter moest eraan geloven. De dader heeft het nog eens geprobeerd, 's nachts, 'n steen door het raam gegooid en

88

toen twee keer pang gedaan."

Hij haalde met zijn wijsvinger een denkbeeldig wapen over.

Karwenna probeerde ze allemaal aan te kijken. Ze stonden vlak naast elkaar, de kleine, grijze Ingo Wicker met zijn proletariërsblik, Holger Stemp, die spierbonk, Hilo Gluck, de ster met de hoerenblik en Harro, die boven iedereen uitstak en duidelijk veel intelligenter was dan de rest.

Er was een pauze ontstaan. Niemand onderbrak die.

Ingo Wicker speelde nog steeds met zijn klarinet. De jongen was nerveus. Zijn hele lichaam stond gespannen, maar zijn vingers lieten zijn zenuwen de vrije loop. De roodharige Holger Stemp maakte zijn nek nog dikker en hield zijn ogen nog steeds dichtgeknepen. Hij zag er angstaanjagend uit en Karwenna dacht: die zou ik niet graag tegenkomen in het donker.

"Weet u," doorbrak Harro het zwijgen. "U kunt hier niet veel meegevoel verwachten. We mogen Potter niet. We hebben er geen reden toe. En als die man iets overkomt, dan is dat voor ons bepaald geen schokkend nieuws."

Hij lachte, maakte een gebaar alsof hij wilde zeggen: Ze staan tot uw beschikking.

Karwenna haatte normaal verlopende verhoren. Hij hield van verrassingen, onverwachte dingen, juist daarmee had hij al veel succes gehad.

Hij zei: "Willen jullie wat voor me spelen?"

Dat zinnetje had inderdaad algemene verbazing tot gevolg. Ingo, de kleine grijze, rat keek op, hij maakte een hulpeloze indruk. De rode kolos verwijdde zijn ogen weer wat, zijn grove hand maakte een beweging. Harro zelf scheen verrast.

"Wat moeten we?" vroeg hij: "Spelen?"

"Als jullie het niet vervelend vinden," zei Karwenna.

"Het kan ons niets schelen, maar we zouden graag de zin van dit alles willen weten."

"Ik kan me dan beter een beeld van jullie vormen."

"Een beeld van ons vormen? Is het niet voldoende als u naar ons kijkt?"

Karwenna gaf geen antwoord. Harro keek Karwenna onderzoekend aan, haalde toen zijn schouders op en keek naar zijn vrienden. "Wat vinden jullie ervan?"

Ze stonden er heel kalm bij, ze schenen er over na te denken. Hilo Gluck bewoog als eerste. Ze haalde haar smalle schouders op, zodat haar lange bovenlijf nog langer leek. "Als hij het wil."

"Goed dan," zei Harro. "Maar u moet wel bedenken dat we oefenen. We zijn geen profs. Maar we willen het wel worden. Bepaalde tonen hebben we nog niet te pakken." Hij boog plotseling naar voren. "U zoekt naar een motief voor moord, hè?" Ik zal u er eens een noemen: wanneer u grapjes maakt over onze muziek. Die is in een stadium waarin sarcasme ons kapotmaakt."

Karwenna was verbaasd, maar liet dat niet merken. Hij zei alleen: "Wees maar niet bang. Ik krijg werkelijk een beeld van jullie, als ik jullie zie spelen."

"Ik zou niet weten hoe", hield Harro vol en zuchtte toen: "Goed dan."

Hij hief zijn hand op. De roodharige reus hief zijn stukken, daarna de kleine grijze muis zijn klarinet en Hilo Gluck haar gitaar.

Ze begonnen te spelen.

Karwenna had niet veel verstand van muziek, maar zoveel was hem wel duidelijk: Het was niets bijzonders. Harro was de beste, zijn jazztrompet klonk zuiver. Hij scheen geschoold te zijn en had ook duidelijk de muzikale leiding.

Ingo maakte er niet veel van, hij blies vals, deed misgrepen probeerde de valse tonen nog te verbeteren en ondertussen keken de grijze ogen smekend naar Karwenna om toch alsjeblieft niet te reageren. Met verbazing zag Karwenna dat Ingo's gezicht zich met zweet bedekte.

Holger Stemp bediende het slagwerk. Het leek of hij het met iedere klap zou verwoesten. Maar hij had maatgevoel. Het rode hoofd was voorover gebogen, zodat je zijn geweldige nek kon zien.

Hilo Gluck bewoog haar hand over de gitaar in een soepel spel van haar vingers, lange, pezige vingers. De accoorden die ze sloeg, waren een beetje eentonig, herhaalden zich Het was veel interessanter om haar te zien. Ze bewoog zich sierlijk en liefelijk. Moordenaars? dacht Karwenna. En zijn volgende vraag: Wie zou hen engageren? En de vraag die er logischerwijze op volgde: Waarom heeft Potter ze geëngageerd? Was het niet logisch dat hij ze eruit gooide, van het ene moment op het andere? Maar waarom had hij ze eigenlijk geëngageerd? Had hij niet eerst naar ze geluisterd?

Harro zag Karwenna nadenken en gaf een teken dat ze moesten stoppen.

Ze keken allemaal naar Karwenna en Karwenna begreep dat hij iets moest zeggen. Hij begreep: ze willen mijn oordeel.

"Heel goed," zei hij, "de toon is er al. Soms nog niet helemaal, de klarinet bijvoorbeeld."

Ingo veegde het zweet van zijn voorhoofd, hij scheen opeens woedend te worden. Hij was zo woest, dat hij de juiste woorden niet kon vinden.

"Waarom moet u mij net hebben? Weet u hoe moeilijk het is om klarinet te spelen? Het is een een fysieke moeilijkheid, je moet je vingers goed plaatsen. Dat is niet zo eenvoudig."

Hij keek smekend naar Harro; "Wat zeg jij ervan? Ik vond het best goed. Beter dan anders."

"Dat vond ik ook," zei Harro ernstig, "ik merk dat je grote

vorderingen maakt, je bent muzikaler geworden."

"Muzikaler?" vroeg Ingo.

"Ja, ook technisch ben je beter geworden. De klarinet wordt je steeds vertrouwder. Je hebt minder fouten gemaakt dan anders. Dat weet een buitenstaander niet. Hij heeft toch ook gezegd dat we de toon al te pakken hebben. Dat is belangrijk. Dat we een eenheid vormen, een geluid krijgen. De sound. Daar moeten we aan werken. Een eigen sound, die herkenbaar wordt."

"Ja", knikte Ingo. Het zweet droogde op zijn gezicht. Hij keek verheerlijkt naar Harro, glimlachte toen een paar deerlijk bruine tanden bloot, die schots en scheef in zijn mond stonden.

Hij keek om naar Holger Stemp, alsof hij van die kant een bevestiging wilde horen, maar Holger Stemp stond nog steeds voorovergebogen en leunde met een hand op het slagwerk, een gorillahouding. De spierbundels waaruit hij leek te bestaan schenen geen gevoel uit te kunnen drukken.

"Het was al heel aardig", prees Harro, "we zijn op de goede weg. We gaan vooruit."

Die paar woorden waren voldoende om Ingo te laten lachen. Die lach maakte zijn ratachtige gezicht mooier.

Holger Stemp toonde nauwlijks enige reactie. Hij zag eruit of hij nauwelijks kon wachten het slagwerk weer te bewerken, om met open mond het ritme te volgen en daar plezier aan te beleven. Alleen Gilo Gluck stond er onverschillig bij, alsof ze wel wist hoe ze overkwam.

"Heeft u zich een indruk kunnen vormen?" vroeg Harro.

"Ja", antwoordde Karwenna: "En nu wil ik jullie vragen: Waar waren jullie gisteravond om acht uur en om twee uur 's nachts?"

Die vraag verraste niemand.

"Ik heb ze er al op voorbereid", zei Harro en richtte zijn blik op Holger Stemp. "Dikke, waar zat je?"

Holger Stemp haalde zijn enorme behaarde hand van het slagwerk en ging rechtop zitten.

"Ik was hier", gromde hij.

"Om acht uur waren we hier, bedoelt hij", zei Harro, "en waar was je om twee uur?"

"Thuis in bed."

Ingo stond rechtop, alsof de lovende woorden van Harro nog steeds in hem naklonken en hem overeind hielden.

"We waren hier, we hebben geoefend", zei de kleine grijze gehoorzaam en hij keek Harro aan met een blik alsof hij weer een complimentje verwachtte.

Ook hij had om twee uur in bed gelegen.

Hilo Gluck bleef volkomen kalm. Geen enkel teken van opwinding. Ze stond op een manier die haar figuur het best deed uitkomen, keek met gebogen hoofd onderuit naar Karwenna en gaf antwoord op de vraag. Ze streelde onderwijl haar instrument.

"Tja", zei Karwenna en wees op een bandrecorder, die langs de muur stond. "Een opnameapparaat?"

"Ja", antwoordde Harro, "we nemen onszelf op om onszelf te controleren."

"Wilt u het eens afdraaien?" vroeg Karwenna.

Harro aarzelde, hij had zijn wenkbrauwen opgetrokken, en maakte opeens een geïrriteerde indruk, als iemand die iets over het hoofd heeft gezien. Uiteindelijk liep hij er toch heen, bukte zich en zette de band aan. Je hoorde de muziek, die ze hadden gemaakt.

Harro zette de band af, draaide zich om, stond op en keek Karwenna aan.

Karwenna zei: "Het is natuurlijk heel eenvoudig om dit apparaat heel hard aan te zetten. Wat zouden de mensen in het

93

huis denken? Ze zouden denken: daar zijn ze weer, die jongelui zijn in de kelder aan het oefenen."

Harro stond er zwijgend bij, ook de anderen zeiden niets. Het leek of ze de draagwijdte niet begrepen.

Harro haalde zijn schouders op.

"Man", zei hij, "als dat zo was, wat u denkt, zou ik het apparaat hier dan hebben laten staan, zodat u het meteen zag?"

"Dat is ook weer waar", gaf Karwenna toe en glimlachte waarderend, "maar ik moet alles wel registreren."

"U registreert maar", antwoordde Harro kalm.

★

Harro liep met Karwenna naar de binnenplaats.

Karwenna bleef staan op de troosteloze binnenplaats. Afwezig. Harro Wensler bleef eveneens zwijgend naast hem staan.

Karwenna vroeg: "Denkt u dat het wat wordt met uw band?"

"Ja, ik denk wel dat het wat wordt," antwoordde Harro, "het klinkt in uw oren misschien niet bijzonder, maar we zijn al een heel eind gevorderd."

"U speelt zelf erg goed, u heeft talent."

"Ja, ik geloof," antwoordde Harro terughoudend, "dat ik plezier heb in muziek maken. Het fascineert me."

Weer stilte.

Er reed een bestelwagen de binnenplaats op. Twee kinderen speelden met houten geweren, ze schoten voortdurend houten pijltjes op elkaar af en krijsten als ze geraakt werden.

"De andere zijn pure amateurs", zei Karwenna.

"Ja, dat zijn ze," antwoordde Harro Wensler, "maar ze hebben er ook plezier in."

"Maar geen talent", constateerde Karwenna.

"Bent u daar zo zeker van?" vroeg Harro stug.

"Ik heb nog een vraag: Waarom heeft Potter u eigenlijk geëngageerd. In alle ernst: wat uw groep daar presteert kun je toch niet in een café laten horen."

Harro lachte en zei: "Voor u dat zegt moet u eens een kijkje gaan nemen in de Black. Ik zei u toch al, dat Potter overal een concept voor heeft. Ook voor dat café heeft hij er een."

"Wat voor een?"

"Dat is moeilijk te zeggen. Laten we er een keer heen gaan. Heeft u vanavond tijd?"

"Ja, het zou me erg interesseren", zei Karwenna.

Harro stak zijn hand op, nam afscheid en verdween weer in de kelder.

Karwenna verliet de binnenplaats, liep naar zijn wagen, die hij wat verderop had geparkeerd omdat de straat was opgebroken.

Hij bleef plotseling staan, want hij zag iets wat hem eerder niet was opgevallen! De straat werd geasfalteerd, hij was opgebroken, de klinkers, die oorspronkelijk in de straat hadden gelegen waren op een hoop gegooid.

Hemel, dacht Karwenna, het zijn dezelfde als de steen die door het raam is gegooid bij Potter.

Karwenna raapte een van de stenen op en nam het mee naar zijn wagen. De steen was zwaar, om hem door een raam te gooien moest je erg sterk zijn. Holger Stemp, dacht Karwenna. Die zou zo'n steen kunnen gooien. Hij had die kracht.

Een stratenmaker kwam naar Karwenna toe: "Heeft u die steen weggepakt?" riep hij.

"Ja", zei Karwenna. De stratenmaker begon een hele discussie, verdedigde de gemeentegoederen vurig en kalmeerde pas toen Karwenna zijn legitimatiebewijs liet zien.

Toen reed Karwenna weg en het begon steeds meer tot hem door te dringen dat hij misschien een sensationele ontdekking had gedaan. Zou het lab het bewijs leveren dat de steen die bij Potter naar binnen was gegooid, van die bouwplaats afkomstig was?

Karwenna herinnerde zich, dat het lab ook al eens in staat was geweest om een zaak op te lossen aan de hand van chemische bodemonderzoeken. Toen ging het erom de gravel onder de tennisschoenen van een dode te identificeren. Er kwamen twintig tennisbanen in aanmerking, het lab had het overtuigende bewijs geleverd dat de gravel alleen maar van die ene, speciale tennisbaan afkomstig kon zijn.

Was hier iets dergelijks aan de hand? Er zaten sporen van grond aan de steen. Karwenna voelde zich opgewonden. Wat zou het betekenen als vast kwam te staan dat de stenen dezelfde herkomst hadden?

Het spoor zou dan regelrecht naar Harro en zijn musici lopen.

Karwenna zag ze voor zich. Harro, die zijn zenuwen heel goed in bedwang wist te houden, die onverschillig deed, maar het niet was. Hij zag de rat voor zich, Ingo Wicker, de klarinettist, die opeens ontzettend kwaad was geworden. Hij zag de roodharige kolos, die Karwenna met kleine oogjes had aangekeken, die op het slagwerk had geleund, als een gorilla. Hij herinnerde zich ook het meisje, dat hem van onderuit had aangekeken. Ze keek nergens van op, helemaal nergens. Moord was misschien voor haar,- nu aarzelde Karwenna, maar hij zei het toch: een onbelangrijke zaak.

V

"De heren zijn hier", zei de hotelbediende, die in een uniform gekleed was versierd met goudgalon en zilveren knopen. Boven die knopen een glad gezicht, een schedel waarover het haar glad naar achteren was gekamd. Hij wees eerbiedig naar een deur.

Karwenna kwam in een groot vertrek, dat ingericht was als een kleine foyer van een hotel. Zitgroepen van zwaar leer, een kleine bar, daarachter twee kelners in donkere pakken.

Een van de twee kelners zag Karwenna, hij liep met afgekeurde blikken naar hem toe.

Karwenna dacht: die man weet, dat ik hier niet thuishoor.

Voor de kelner het woord tot Karwenna kon richten, was Potter al uit zijn stoel opgestaan. Hij maakte een gebaar dat de kelner vanuit zijn ooghoeken waarnam en juist interpreteerde. Hij hield zijn pas in en viel terug in zijn normale houding.

Potter begroette Karwenna met halfluide stem.

"Neem me niet kwalijk, dat ik u gevraagd heb hier naartoe te komen, maar ik ben hier aan het eind van de middag altijd. Kom, gaat u zitten."

"Wat is dit hier?" vroeg Karwenna om zich heen kijkend.

"Een soort industrieclub. Alleen voor leden. Je bent hier onder elkaar. Het is een heel interessant gezelschap dat hier bij elkaar komt, uit alle hoeken van vooral de financiële wereld."

Hij glimlachte: "Heel nuttige contacten ontstaan hier als vanzelf."

Hij bood Karwenna een reusachtige leren stoel aan, wachtte tot Karwenna was gaan zitten en ging toen zelf zitten.

Potter paste in deze omgeving. Zijn grijze kostuum was van eerste klas kwaliteit, zijn decent rode das gaf hem dat extra vleugje kleur, dat nodig was om zijn verschijning perfekt te maken.

"Ik had naar uw bureau gebeld", zei Potter.

"Ja, ik ben onderweg gewaarschuwd en onmiddellijk hierheen gereden."

Een van de kelners stond in afwachtende houding in de buurt en kwam op een teken van Potter dichterbij.

"Trek in een whisky?" vroeg Potter.

"Graag", antwoordde Karwenna.

Potter gaf de bestelling op, wendde zich tot Karwenna en vroeg nieuwsgierig: "Heeft u ze gezien? Ze gesproken?"

"Ja."

"Wie heeft u gesproken? Wensler?"

"Hem eerst, daarna heb ik ook alle andere gezien en gesproken."

"Heel goed, heel goed", zei Potter, "hoe bent u te werk gegaan? Heeft u op de man af gezegd dat we ze verdenken?"

"Ja, ik heb ze gezegd, dat ik de moord op uw procuratiehouder onderzoek en dat ik iedereen naar zijn alibi vraag."

"Ze hadden er natuurlijk een", riep Potter.

"Ja, ze hadden er een."

"Een alibi dat ze elkaar geven, nietwaar?"

"Nee, ze zeggen dat ze om acht uur in een kelder in de Fortunastraat aan het oefenen waren."

"Oefenen? Hoezo oefenen? Hebben ze dan weer instrumenten?" Gejaagd ging hij verder: "U moet weten, dat ik hen eerst

98

instrumenten heb gegeven. Hebben ze nu nieuwe? Waar vandaan? Hebben ze gezegd waar vandaan?"

"Nee, ik heb er ook niet naar gevraagd. Ze hebben in ieder geval een kelder gehuurd en daar gisteravond geoefend."

"Is dat te bewijzen?"

"Ja."

"Heeft u het bewezen?" zei Potter.

"Weet u," zei Karwenna, "ik vind dat nog niet zo belangrijk. Alibi's best, maar."

"Juist," onderbrak Potter hem. "U heeft er geen aandacht aan geschonken, u niet om de tuin laten leiden."

Hij knikte een paar keer, keek Karwenna met bewondering aan en probeerde zo zijn respect te laten blijken.

"U heeft die jongelui bekeken, een indruk van ze gevormd, nietwaar? Kon u ze op een of andere manier in het nauw drijven?"

"Nee," zei Karwenna. "Ik had voorlopig genoeg aan een eerste indruk."

"Genoeg?" Dat woord scheen Potter helemaal niet te bevallen." "Ja, hoe," zei hij, "heeft u die lui niet meteen aan een scherp verhoor onderworpen?"

"Nee, nog niet."

Kennelijk zakte Potters bewondering voor de kommissaris wat.

"Nou ja," zei hij, "u zult zo uw methodes wel hebben."

Hj lachte: "Ik zou ze opsluiten en zonder ophouden verhoren."

Karwenna maakte een nuchter gebaar, dat Potter onmiddellijk begreep. Hij hief zijn handen, en lachte: "Neem me niet kwalijk. U heeft natuurlijk ervaring. Maar hoe is het allemaal afgelopen?"

"Tamelijk rustig," antwoordde Karwenna. "Ze hebben me

verteld dat ze gisteravond in de kelder hebben geoefend en om twee uur 's nachts in bed lagen."

"Ja, maar," Potter keek hem ontsteld aan, "gelooft u dat dan?"

"Nee", zei Karwenna droog, aarzelde even en ging toen verder: "Er zijn voetsporen gevonden. Volgens die sporen zijn er minstens drie personen in de tuin geweest. Een van de afdrukken is waarschijnlijk afkomstig van een vrouw."

Potter keek hem nieuwsgierig aan.

"Dat doet me genoegen," riep hij uit, "dat is toch iets heel belangrijks wat u me daar vertelt."

"Ja, ik vind het ook belangrijk," zei Karwenna.

Potter kon niet meer stil in zijn stoel blijven zitten. Hij stond op, liet nog een glas whisky komen en haalde zwaar adem.

"Zo, zo", zei hij tevreden, "ze waren het dus, ze waren het allemaal. Een vrouw erbij?" Hij keek op "dat is dat meisje, die Hilo Gluck, die gitariste."

Hij werd ineens vrolijk. "Dan zijn we toch al een aardig eind opgeschoten. Heeft u nog zo'n verrassing voor me?"

"De kogels zijn onderzocht. De kogel, die in het lichaam van uw procuratiehouder zat, en de twee kogels in het plafond van uw kamer zijn uit hetzelfde wapen afgeschoten."

"Man, man", zuchtte Potter. "Ik sta versteld. U zit hier alsof u niet tot tien kunt tellen en zo tussen neus en lippen vertelt u me dan zoiets. Dat wil toch zeggen dat", hij brak zijn zin af, dacht na. "Dat betekent toch: het was voor mij bedoeld, voor mij, Potter. Dat is nu toch duidelijk bewezen. In de tweede plaats die voetafdrukken, verschillende, de afdruk van een vrouw erbij. Hoe zijn die afdrukken?"

"Niet zodat je er alleen maar de bijpassende schoen in hoeft te zetten. Het zijn vage afdrukken."

"De regen, hè? Het had immers de hele dag gerend."

Potters gezicht versomberde. "Jammer," zei hij, "heel jammer." Hij keek op. "Maar is dat niet voldoende om een bevel tot huiszoeking te krijgen? Alle schoenen van die lui in beslag nemen?"

"Het heeft geen zin", sprak Karwenna tegen.

"Nou, maar een ding is zeker, voor u waarschijnlijk ook: Die musici zijn het geweest". Hij lachte opeens: "Ik begrijp het: U bent voorzichtig. Heeft u niets tegen hen gezegd over die voetsporen."

"Nee."

"Nou zie je toch maar dat u een expert bent", zei Potter. "Ik heb het gisteren al gemerkt, u verstaat uw vak."

Hij bleef een tijdje stil zitten, zei toen: "Kon mijn zoon u helpen?"

"Hij wist waar ik Harro Wensler kon vinden."

"Zo, wist hij," zei Potter en lachte hard, "onbegrijpelijk," hij schudde zijn hoofd. "Ik begrijp niets van mijn zoon." Zijn gezicht liep opeens rood aan, verraadde zo zijn woede. "Laat zich met die lui in, interesseert zich voor hen. Hij noemde ze zelfs zijn vrienden."

Hij snoof woedend. "En nu? Wat doet hij nu? Heeft u er een idee van?"

"Ja, hij is bijzonder terneergeslagen."

Potter knikte. "U heeft gelijk. Die indruk heb ik ook. Hij lijkt verdoofd. Alsof het tot hem door begint te dringen wat die vrienden eigenlijk zijn."

Potters lach had nu iets boosaardigs. "Daarom heb ik u die jongen ook meegegeven. Zodat hij eens een lesje in mensenkennis opdoet."

"Nou," zei Karwenna kalm. "het ziet er niet naar uit dat uw zoon uw verdenking deelt."

"Ach wat," riep Potter uit, "dat is alleen maar koppigheid,

misschien schaamt hij zich, dat hij zich zo heeft kunnen vergissen."

"Ik weet niet wat het is," zei Karwenna nuchter, "maar u heeft gelijk als u zegt, dat het lijkt of uw zoon verdoofd is. Hij is het ook."

"Een domoor", zei Potter en keek op: "Hoe gaat het nu verder?"

"Ik heb nog een vraag aan u. Nadat ik die jongelui heb horen spelen, vraag ik me af, waarom u ze hebt geëngageerd."

Potter lachte, zijn vrolijkheid keerde terug.

"Op die vraag heb ik gewacht. Maar hij is makkelijk te beantwoorden: ik heb in Engeland in het kader van een gastronomencongres een nieuw soort café ontdekt, een soort, dat in Engeland enorm is aangeslagen. Ook de kranten hier hebben er al over geschreven. Het gaat om een soort keldercafés zonder inrichting. Ze worden vooral door de jeugd bezocht. De attractie is een nieuwe vorm van muziek. Eigenlijk kun je helemaal niet van muziek spreken," hij lachte, "dat is tenminste mijn indruk. Serieuze musicologen in Engeland denken er heel anders over. Deze nieuwe vorm van muziek wordt besproken, de platenindustrieën zijn al in actie. Muziek, die geen muziek is. Muziek van amateurs, van mensen die geen verstand hebben van muziek," hij stak zijn handen in de lucht. "Ik kan het echt heel moeilijk uitleggen. Je moet het zelf horen."

"Dat ga ik ook doen. Ik heb voor vanavond een afspraak met Harro Wensler. We gaan naar de Black."

"O, u gaat erheen?" Hij knikte. "Ik heb een Engelse groep geëngageerd. Zij brengen de sound die in Engeland in de mode is. Sinds zij er zijn is de tent vol."

"Maar," zei Karwenna, "Harro en zijn mensen zijn toch amateurs, ze spelen toch erbarmelijk."

"U begrijpt me niet," zei Potter, "de fout van die lui was," hij onderbrak zichzelf, haalde diep adem om zijn woorden te benadrukken. "Ze wilden beter worden, ze wilden echte muziek maken. Ze hebben me helemaal niet begrepen."

Potter grabbelde in zijn zak, haalde wat geld tevoorschijn. Een van de zwarte kelners kwam geruisloos naar hem toe.

"Wat me natuurlijk helemaal niet aanstaat," zei Potter opeens, "is dat u met mijn moordenaar uitgaat."

★

"Ik moet vanavond nog weg", zei Karwenna tegen zijn vrouw.

Ze trok alleen haar wenkbrauwen op alsof ze wilde zeggen: Ik begrijp dat je het vervelend vindt om me dat te zeggen, maar je zegt iets waar ik aan gewend ben geraakt.

Karwenna had inderdaad op gerekend dat ze zou protesteren, het zat hem dwars dat er geen protest kwam.

"Maak je geen zorgen," zei Helga, "ik wilde vandaag toch naar de film gaan."

Karwenna was verbluft. "Je wist toch niet dat ik vanavond weg moest."

"Nee, dat wist ik niet," antwoordde ze droog.

Karwenna wilde iets zeggen, maar er schoot hem niets te binnen. Bovendien had hij geen zin in ruzie. Door ruzie kon hij niet goed nadenken. En dat was nu net wat hij doen moest.

Zwijgend zat hij aan tafel te eten. Hij zag de musici voor zich, haalde hun gezichten in zijn herinnering, hun bewegingen, hun halve zinnen.

Hij zag de kelder voor zich, daarna het nachtelijk huis van Potter, zijn kantoor waar Wilke was doodgeschoten.

Hij zag de dode voor zich liggen. In de rug geschoten. Van achteren. De moordenaar. Dat grote vraagteken. Die enorme donkere vlek. De schaduw.

Wie was het?

Steeds andere personen liet hij de revue passeren, wie paste het beste in de lijst van de moordenaar. Harro Wensler, Ingo Wicker, de roodharige en - hij stokte, het meisje? Ze had hem zo onbeschrijflijk koel aangekeken, met een blik waarin hij nu iets triomfantelijks meende te ontdekken.

De relatie die Hans Potter met deze mensen had? Hoe had Potter het gezegd? Mijn zoon is onder hun invloed geraakt. Maar vroeg Karwenna zich af: hoe kom je nou op moord? Zo'n brute moord? Iemand uitschakelen door een schot in de rug. Dan de constatering: de verkeerde! Het is Potter helemaal niet. Maar Potter moet eraan geloven. Naar hem toe, naar zijn huis. Nog steeds een regen die alles doorweekt, een paar verlichte ramen. Dan opeens, tegen twee uur, koplampen voor de ingang: Potter komt, rijdt de wagen naar binnen, gaat nog een keer terug om het hek te sluiten.

Om het hek te sluiten?

Dat was toch een veel betere gelegenheid om hem dood te schieten!

Karwenna zat zo te piekeren, dat hij doodstil aan tafel zat. Pas na een tijdje merkte hij dat Helga hem spottend aankeek. Schuldbewust at Karwenna door toen stond hij op.

Hij liep naar zijn vrouw toe, kuste haar en zei: "Sorry."

Ze lachte, trok hem naar zich toe. "Ik heb een man die ik moet delen met moordenaars. Maar mijn deel is kleiner. Dat zit me dwars."

"Wat voor film is er?" vroeg Karwenna.

"Een liefdesgeschiedenis," antwoordde ze met een licht sarcasme, "omdat het een modern liefdesverhaal is zal het wel niet goed aflopen."

★

Toen Karwenna de keldertrap afliep voelde hij al dat hem iets bijzonders te wachten stond. De trap zag eruit alsof hij rechtstreeks naar een kolenkelder leidde. Ruw metselwerk, beton met dikke scheuren. Uit het donkere gat kwamen een heleboel geluiden. Een zwartgeschilderde deur met allerlei opschriften en tekeningen. Boven de deur hing aan een draad een gloeilamp, een kaal peertje, dat bovendien nog zwak brandde.

Karwenna duwde de deur open.

Een portaal van een paar vierkante meter. Betonnen vloer, uitgesleten door schoenen, zodat het een doffe glans had gekregen. De muren oppervlakkig wit gekalkt, zodat het metselwerk er doorheen kwam. Er hingen een paar gescheurde affiches. Popgroepen. Naast de affiches speelautomaten, sigaretten-automaten, drinkautomaten. Het metaal werkte kleurig in deze omgeving.

Er stonden wat jongelui omheen die de apparaten bedienden. Het waren jongeren van een jaar of veertien, vijftien, zestien, nauwelijks ouder. Ze droegen allemaal spijkerbroeken met iets erop, het deed er niet toe wat als het maar bizar was. Veel meisjes droegen grijze mannenoverhemden over hun broek, de uit-einden fladderden. Ze hadden bijna allemaal lang haar. De haren waren vies, en ongekamd.

Karwenna ging nu het eigenlijke café binnen. Zijn eerste indruk: dit is echt een kelder. Het zag eruit alsof er iets was geïmproviseerd, of hier een toevallige samenkomst plaatsvond, omdat iemand had gezegd: laten we deze kelder maar gebruiken. Het plafond was laag, je zag de roestige balken waar het huis op steunde. Het beton tussen de balken was geroest, grijs. ook de muren waren kaal en grijs. In de hoeken hingen spinnewebben duidelijk zichtbaar om dat er stof van kolen aan hing. Het rook er inderdaad naar steenkool en naar rottende aardappelen.

Deze ruimte was afgeladen vol met jongelui. Ze stonden of zaten, op kisten, op planken, op vaten, op houten blokken. Karwenna zag niet een normale stoel, niet een tafeltje.

De jongens en de meisjes zaten op deze provisorische zitplaatsen en hielden hun glazen in de hand of zetten ze op de grond. Alle gezichten waren naar de musici gekeerd, vier, vijf jongelui. Slonzig gekleed, in rare kleren, fantasiegewaden. Een had een deken omgedaan, een gewone opgelapte wollen deken. Hij droeg hem als een Peruaanse boer en had een touw om zij middel gesnoerd. Hij droeg lange haren, tot op zijn schouders, ongewassen haar.

De anderen zagen er niet veel beter uit. Ze waren geen van allen boven de twintig. Ze zagen er ontzettend verwaarloosd uit, alsof ze het gebruik van water en zeep volkomen hadden afgezworen. Hun gezichten waren grauw, oud en verlopen. Ze hamerden hun muziek uit de instrumenten, nee, dacht Karwenna bij zichzelf, muziek kon je het niet noemen, er zat geen enkele melodie in. Karwenna begreep het opeens. Het deed er niet toe. Een of ander stampend ritme leek de hoofdzaak te zijn.

Ze speelden met dichte ogen of met blikken die zo glazig waren, dat ze nauwelijks meer dan onduidelijke lichtvlekken op hun netvlies waarnamen. Ze leken in trance, maar het was geen goede trance. Het leek meer of ze versuft waren. Af en toe schreeuwde een van de musici wat, een dierlijke kreet, die direkt door de jongens en meisjes werd overgenomen.

Het hele tafereel werd maar zwak verlicht door peertjes die aan draden aan het plafond hingen.

Karwenna was bij de ingang blijven staan. Hij voelde zich op een ongelofelijke wijze gefascineerd. Hij voelde geen afkeer, hoewel hij eerst dacht dat zijn gevoel op tegenzin en afschuw berustte. Maar dat was het niet. Hij had het gevoel dat hij iets zag dat echt was.

Karwenna baande zich een weg door de menigte jongelui heen. Ze bewogen zich ongegeneerd, raakten elkaar aan. Niemand scheen lichamelijk kontakt af te wijzen. Ze hingen allemaal om elkaars hals. Ze dronken en lachten, zeiden niets. Het was of ze zich overgaven aan het geluid.

De musici schenen geen begin en geen eind aan hun muziek te kunnen maken. Ze lawaaiden onophoudelijk door. Soms ging een van hen even op de grond zitten, staarde dan voor zich uit alsof hij niet meer wist waar hij was, dan stond hij weer op en begon opnieuw te spelen en kreten uit te stoten.

Karwenna hield geen oog af van de musici.

Iedereen werd er door gefascineerd, dat was duidelijk. De jonge mensen nee, dacht Karwenna, het zijn kinderen, de kinderen voelen zich hier lekker.

Karwenna trok een gezicht. Zijn gedachten waren zo intensief dat ze pijn deden. Kinderen, het zijn toch kinderen, zei hij tegen zichzelf. En ze zien er zo vreselijk verwaarloosd uit. Maar wat is dat eigenlijk: Verwaarlozing? Het is een waardeoordeel. Ik leg een maatstaf aan. Maar wat voor maatstaf? Een, die misschien helemaal niet klopt. Nee, verwaarlozing was verkeerd. Ze gaven een juist, exact, eerlijk beeld van zichzelf een nieuw beeld, dat wel, en het ongewone was het afschrikwekkende.

Toch bleef die gedachte in Karwenna's hoofd doorzeuren: Het zijn kinderen, vuile, verwaarloosde, alleen gelaten kinderen. Kinderen die de hand van hun ouders losgelaten hebben,

107

hen helemaal niet meer zien.

Karwenna voelde eén vinger in zijn rug, hij draaide zich om.

Het was Harro Wensler, die zich naar voren boog om zich boven de muziek uit verstaanbaar te maken. Zijn baard spleet weer, een brede lach met witte tanden.

"En, wat zegt u ervan?" schreeuwde Harro, "een dolle tent, hè?" Hij haalde adem om een nieuwe zin te roepen: "Het werkt, hè? En hoe!"

Karwenna trok Harro met zich mee naar de ruimte ervoor.

"Heeft u al genoeg gezien?" vroeg Harro.

Karwenna stak een sigaret op. Hij snakte er nu naar. Hij inhaleerde diep en blies de rook uit.

"Zoiets heb ik nog nooit gezien."

"Het is iets nieuws," antwoordde Harro, "de tent is iedere avond stampvol. Heeft u de muziek gehoord?"

"Is het muziek?"

"Vergis u niet," antwoordde Harro spottend, "weet u dat de muziekexperts zich er al mee bezig houden. Ze onderzoeken en analyseren het al. Er zijn al platen van."

"Van deze muziek?"

"Man, daar zit toch iets in. Iets, ik weet niet wat, maar dat is het: het moet onderzocht worden, wat het nou precies is. Of is het soms pure impasse?"

Karwenna keek Harro verwonderd aan.

"Houd u niet van dit soort gesprekken?" vroeg Harro grof.

"Ik verbaas me alleen maar."

"Ik heb een vraag gesteld, waarop het antwoord me interesseert."

Hij boog zich naar voren: "Wat vindt u ervan? Is het een impasse?"

"Ik heb geen idee," zei Karwenna.

"Maar u moet toch een indruk hebben van die muziek?"

"Ja, die heb ik. Het maakt me gek."

Harro lachte, zei toen: "Weet u wat u daar zegt? U zegt, dat die muziek een sterk gevoel in u oproept. Dat zegt u toch."

"Ja, dat is zo."

"Is dat niet de zin van alle muziek? Gevoelens opwekken? Doet er niet toe welke. Alleen als je iets voelt, gebeurt er iets, is er beweging."

Karwenna dacht: Waar heeft hij het over?

Harro had zijn hand uitgestoken en Karwenna bij zijn jasje gepakt: "Muziek die niets oproept, is die niet dood? Bestaat dat? Dode muziek?"

Hij lachte opeens en liet Karwenna's jasje weer los.

"Is een weense wals dood? Zelfs als hij een paar benen in beweging zet? Maar," zei hij, "is hij eigenlijk niet dood? Blijft hij alleen in leven door de gewenning, de bekendheid, het herkennen? Maar is hij in werkelijkheid dood?" Verder zei hij: "Volksliederen, evergreens, stapels zijn ervan, allemaal dood, ze roepen niets meer op."

Karwenna zweeg verbouwereerd.

"Ik laat u zien wat ik denk. Is daar iets verkeerds aan?"

"Nee, nee."

"Heb ik een verkeerde woordenschat?" grinnikte Harro.

"In ieder geval verbaast hij me."

"Ik kan het u niet besparen," zei Harro opeens met een ondertoon van minachting. "Mag ik ook een sigaret?"

Ze stonden nu tegenover elkaar, rookten een keken elkaar door de rook aan.

"Ik wil u alleen maar zeggen", zei Harro, "dat ik over muziek heb nagedacht." Hij aarzelde, begon langzamer te praten, "omdat muziek mijn leven is."

Hij deed zijn bekentenis zoals je bekentenissen meestal doet, met een kalme, eerlijke stem. Hij zweeg even, gooide de sigaret op de grond, trapte hem uit met zijn schoen, terwijl nieuwe kinderen langs hem heen naar binnen stroomden, kinderen in spijkerbroek.

Ze liepen de keldertrap op naar buiten, stonden op een binnenplaats, voelden dan opeens de kou van de nacht, de vochtigheid van de afgelopen regendagen.

"Tja," zei Harro, "waar denken we nu allebei aan?"

Hij had zijn tanden ontbloot.

"We denken aan Potter, neem ik aan."

"Ja, ik denk aan Potter," zei Karwenna, "het is tenslotte zijn café."

Karwenna keek Harro aan.

"Wat een man hè?" zei Harro, "je kunt niet zeggen, dat hij niet weet wat hij wil. Hij wilde dit café, precies dit."

Hij lachte. "Weet u dat ik die man in het begin gewoon griezelig vond. Hij probeerde me uit te leggen, wat hij bedoelde, hoe hij het zich voorstelde. Ik begreep hem eerst niet. Maar hij had een bepaalde voorstelling," hij maakte een beweging met zijn hoofd in de richting van de kelder! "Die."

Hij begon te rillen, trok zijn schouders op.

"Gaan we nog ergens een pilsje drinken?"

Karwenna liep met Harro de straat uit en vond tenslotte een kroeg op de hoek. Harro was de hele tijd zwijgend naast Karwenna blijven lopen, alsof hij diep in gedachten was. Pas in de kroeg op de hoek werd hij weer wakker, keek hij om zich heen.

Een normaal café, schoon, houten vloer, een blinkende bar, en met kleedjes op de tafeltjes.

Harro begon te lachen en keek Karwenna aan: "Hoe voelt u zich hier? Het normale heeft ons weer te pakken."

De baas kwam naar het tafeltje, vriendelijk kijkend, met een glimlach begroette hij hem. Ja, een bier, twee bier, getapt? Ja, tapbier. Dat smaakt toch altijd anders. Een jonkie erbij? "Ja,

110

dat doe ik," zei Harro en keek naar Karwenna: "Mag de politie drinken?"

Ze wachtten op het bier en Karwenna dacht: dit is de oppervlakte van een stad. Sinds vanavond weet ik dat er een dubbele bodem is.

"U heeft daar dus ook gespeeld?" zei Karwenna.

"Ja, vier maanden."

Hij keek op. "Maar niet met zoveel succes. We hadden wel succes, maar het was niet zoals nu."

"Kunt u verklaren waarom u niet zo'n succes had als deze groep?"

Harro haalde zijn schouders op.

"Voor die muziek moet je in de wieg gelegd zijn," zei hij luchtig, "dat ben ik kennelijk niet. Ik heb een hele tijd gedacht dat ik het mezelf mischien moest verwijten." Hij boog wat naar voren: "Ik meen wat ik zeg. Ik heb er inderdaad over nagedacht of ik niet in de verkeerde soort muziek geïnteresseerd ben, een soort muziek die misschien allang dood is."

Hij lachte, het leek of hij plezier had in de verwarring die in Karwenna was ontstaan.

"We hebben in ieder geval niet gebracht wat Potter zich van ons had voorgesteld. En daarom gooide hij ons eruit."

Hij hield zijn blik nog steeds op Karwenna gericht, gespannen en nieuwsgierig naar zijn reacties.

"Meneer Potter zegt, dat zijn zoon onder jullie invloed is geraakt," ging Karwenna verder.

Harro lachte. "Dat is juist," zei hij toen, "we zagen hem vaak. Hij moest ons duidelijk maken, wat zijn vader bedoelde, maar hij begreep het zelf ook niet. Weet u, die jongen is een eerlijke musicus, die hoge en lage noten kent, een begin en een eind."

De nieuwsgierigheid in Harro's blik was nog groter geworden.

"Bent u bevriend met die jongen?" vroeg Karwenna.

"Ja," antwoordde Harro zonder te aarzelen en glimlachte tegen Karwenna, haalde zijn schouders op en ging plotseling verder: "Zou ik de vader van die jongen kunnen doodschieten?"

★

Langzaam liep Karwenna terug naar zijn wagen. De koelte van de nacht had de straten nat gemaakt, zonder dat er regen was gevallen. Alles was grijs. De lichten van de straatlantaarns waren koud en scherp, ze sneden de nacht in stukken.

Karwenna keek omhoog. De wolken hingen laag.

Het overweldigende beeld van de kelder drong zich weer aan hem op. Hij zag de scene zonder contouren, zag zich omringd door alleen maar kinderen, die halfluid met elkaar praatten, die allemaal op de grond zaten, alsof hun ledematen met elkaar waren vergroeid, alsof hun hoofden uit verstrengelde lichamen groeiden.

En de muziek kwam terug in zijn oren, het sombere, woeste staccato, hij zag de wilde blikken weer, de donkere blikken van de musici, waarmee ze het publiek schenen te willen doordringen. Hij hoorde de doffe schreeuwen weer, als het kloppen van het bloed in de buik, onder de schedel, in de genitaliën. Potters zaak, dacht Karwenna.

VI

De volgende ochtend genoot Karwenna van het vertrouwde van het bureau. Hij had goed geslapen, helemaal tegen zijn verwachting in.

Henk kwam stralend op hem afgelopen.

"Ik heb een verheugende mededeling voor je. Hij is hier gisteren als een bom ingeslagen. De chef is laaiend enthousiast en vraagt zich af of je een genie bent of alleen maar verdraaid veel mazzel hebt gehad."

"Vertel het me in eenvoudige bewoordingen, voor raadseltjes is het nog te vroeg. Wat is er?"

"Je steen heeft zijn broertje gevonden."

"Wat?" zei Karwenna verbaasd en voelde opeens iets als een steek in zijn hart: "die twee stenen?"

"Zijn afkomstig van dezelfde plaats. Dat staat volkomen vast."

"Dus de steen die bij Potter door het raam vloog is afkomstig uit de Fortunastraat."

"Ja, dat is vastgesteld. Het lab zegt honderd procent zeker. En dat wil zeggen, dat die musici het waren. Je kunt er nu tegenaan."

Karwenna ging zitten.

Hij was licht nerveus naar het bureau gereden, had op de laboratoriumuitslag gewacht, maar nu overweldigde die uitslag hem.

"Ik heb het al tegen Minks gezegd."

"Wat heb je?" vroeg Karwenna en keek Henk woedend aan.

"Waarom zou ik niet?" vroeg Henk. "Hij belde op en vroeg of er ál nieuws was. Het deed me goed hem te kunnen zeggen, dat er schot in zat."

"Jaja," mompelde Karwenna.

"Wat is er dan?" vroeg Henk: "Ben je niet tevreden?"

"We moeten ons niet laten meeslepen: Zoveel zegt die uitslag nu ook weer niet. In de Fortunastraat wordt de straat geasfalteerd, niet ver van de kelder vandaan waar Harro Wensler met zijn groep oefent. Er zou verband kunnen bestaan!"

Henk keek Karwenna verwonderd aan.

"Zeg, luister eens," zei hij verbluft, "je hebt het over een verband? Voor mij is het zo goed als een bewijs!"

"Ook voor een rechter?"

Karwenna wist zelf niet waarom hij niet helemaal tevreden was, zei: "We hebben met een indicatie te maken, een indicatie is geen bewijs."

Hij keek op: "Heeft Rotthauser al stappen ondernomen?"

"Nog niet. Hij wacht op jou. Hij vindt dat we nu regelrecht naar die jongelui toe moeten gaan, ze hard moeten aanpakken."

Karwenna vertrok zijn gezicht.

Henk was stomverbaasd. "Is er gisteravond soms iets gebeurd, waar ik nog niets van weet?"

Karwenna vertelde over zijn bezoek aan de Black, van zijn indruk, die zo overweldigend was geweest.

"Man," zei Henk, "die tent heeft een bepaalde indruk op je gemaakt."

Karwenna dacht rustig na, nam de tijd, knikte toen en zei: "Ja, je hebt volkomen gelijk. Hij zei: Hans Potter is mijn vriend. Zou ik die jongen zijn vader kunnen doodschieten?"

114

"Maar ze zeggen toch van alles als ze voelen dat de grond hun te heet onder de voeten wordt."

Karwenna maakte een geïrriteerd gebaar: "Die uitslag van het lab is een informatie voor ons, meer niet, een goede informatie, maar ik kan er niemand mee om de oren slaan. Als ik er bij Harro Wensler mee aan kom, hoeft hij alleen maar te zeggen: Nou en?"

Rotthauser liet Karwenna bij zich komen. Rotthauser was laaiend enthousiast.

"Hoe ben je op het idee gekomen om die steen mee te nemen?"

Karwenna herhaalde zijn bezwaren tegen een onmiddellijk en spectaculair verhoor van de musici.

"Daar is het nog te vroeg voor. Ik ben bang - bang, dat we ons blameren. Een te vroeg verhoor is erger dan helemaal geen."

De hoofdcommissaris was verbijsterd.

"Heeft u bezwaren?" vroeg hij bijna ontdaan. "Ja, wat moeten we dan? Wat wilt u dan doen?"

Hij schudde zijn hoofd. "Met zo'n bewijs moet je toch iets kunnen beginnen. Dat is toch net als een kaart die je hebt getrokken en die je nu op tafel moet gooien."

Hij aarzelde en keek Karwenna toen vol aan: "Die Harro Wensler?"

Karwenna vertelde over Harro. Hij luisterde als het ware naar zichzelf en verbaasde zich in stilte. Hij dacht: Je mag die jongen. Ook de hoofdkommissaris scheen die indruk te hebben en gaf hem spontaan weer: "Weet je Karwenna wat me is opgevallen? Je hebt de neiging om die jongelui, die je moet vervolgen, te houden."

Hij onderbrak zichzelf geïrriteerd, alsof hij wist, dat hij zich verkeerd had uitgedrukt. Hij haalde zijn schouders op.,

"Zoiets is het in ieder geval. U voelt zich persoonlijk betrokken bij de mensen achter wie u aanzit."

"Daar hebben ze recht op," antwoordde Karwenna spontaan.

"Dat gaat boven mijn pet", zei Rotthauser kwaad. "We moeten misdaden oplossen. Wat bent u dan eigenlijk van plan? Mag ik dat misschien weten?"

Karwenna aarzelde. "Ik weet nog te weinig af van de mensen met wie ik te doen heb."

"Hoe wilt u daar wat aan gaan doen?"

Ja, hoe? dacht Karwenna.

★

Karwenna kende de toestand waarin hij zich nu bevond. Het was een vervelende fase. Hij was besluiteloos, produceerde aan de lopende band meningen. Ik bedenk weer verhaaltjes, dacht hij. Het was de fase waarin hij de feiten placht te vergeten. Rotthauser had het vaak genoeg gezegd: in het leven van een politieman tellen alleen de feiten, anders niets! Je telt ze bij elkaar op en zet er een streep onder.

Karwenna wilde helemaal geen feiten verzamelen. Hij was er bang voor.

Karwenna ruimde zijn bureau op en zei tegen Henk: "Ik moet nog even weg."

Maar hij gaf geen antwoord op de vraag waar heen.

Karwenna liep in gedachten verzonken naar de parkeerplaats en stapte in zijn auto. Het had gewoon geen zin om op het bureau te blijven en feiten heen en weer te schuiven.

Hij zat lusteloos in zijn auto. Hij stak een sigaret op, zette de radio aan en meteen weer uit.

De portier keek al nieuwsgierig zijn kant uit, zodat Karwenna maar besloot om de straat op te rijden.

Hij reed langzaam door de straten, maar het drukke verkeer om hem heen vermoeide hem. Hij zocht een parkeerplaats op, ging langs de kant staan en keek naar het park op het Maximiliaanplein.

De wind joeg de verdorde bladeren door de lucht. Het gras was grijs en stoffig.

Karwenna grinnikte toen hij aan Rotthauser dacht. Wat zou hij zeggen als hij een van zijn meest bekwame mensen zo leeg en lusteloos in een auto zag zitten? Terwijl er toch van alles gedaan moest worden. Nu, op dit moment.

Karwenna hoorde de verkeersmeldingen. Op de autobaan stond een vrachtwagen in brand. Er stonden files op de autobaan richting Salzburg. De wachttijden aan de grens waren minimaal.

Karwenna zette de radio weer uit.

Ik mag die Harro wel, dacht hij, ik mag hem. Die jongen denkt na. Over wat hij doet, over wat hij wil. Ook over wat hij niet wil. Potter heeft hem een aanbod gedaan. Maar Harro deed niet wat Potter wilde. Potter had zich kwaad gemaakt, ze hebben me helemaal niet begrepen. Stel u voor: ze wilden beter worden. Ze wilden muziek maken.

Karwenna trok zijn wenkbrauwen op. Hij had het gevoel dat hij nu aan iets heel belangrijks was toegekomen. Een achtergrond, dacht hij, een gevoelsachtergrond, die meer betekende dan hij zich op het moment kon voorstellen.

Hij dacht opeens: wat voor smerig spelletje speelt Potter?

Hij zette die gedachte van zich af, startte zijn wagen weer en reed weg. Hij reed de Briennerstraat op en sloeg af naar de Ludwigstraat. De weg voerde rechtstreeks naar het noorden. Aan het eind van de Allee stond de triomfboog.

Triomfboog, dacht Karwenna, wat een achterhaald begrip. Voor hij er erg in had was hij in Schwabing.

Mijn god, dacht hij opeens, nou weet je waar je naar toe wilt. Hij was op weg naar de Black.

Karwenna zocht een parkeerplaats, parkeerde tenslotte half op de stoep en liep naar het café.

Hij liep de binnenplaats op, waar zich de ingang naar de kelder bevond. De binnenplaats zag er overdag nog troostelozer uit dan 's nachts. Het grijze daglicht onthulde de lelijkheid van deze plaats. Een gedeelte was geasfalteerd, een ander deel bestond uit modderige aarde. Een muur, vol scheuren en barsten sloot de binnenplaats van andere binnenplaatsen af.

De kelder was geopend.

Een wagen van een drankenfirma stond op de binnenplaats, twee mannen laadden kratten uit.

Karwenna liep naar de kelder. Hij verbaasde zich er opeens over dat de gemeente zo'n gelegenheid toestond. Ja, dacht hij gemelijk, we zijn een geweldig democratisch land. Iedereen mag doen wat hij wil.

De kelder werd verlicht door een paar peertjes aan het plafond. Hij leek nu kleiner. De catacomben van de kelderkinderen, dacht Karwenna, toen hij de primitieve zitplaatsen zag de kratten, kisten, houtblokken en krukken.

Achter een bar die gemaakt was van planken van kisten stond een jonge man met een bleek gezicht. Hij had nauwelijks haar, zodat zijn gezicht er vreemd bloot uitzag.

De man keek op, kwam toen achter de bar vandaan, liep naar Karwenna toe en lachte.

"U bent de kommissaris, nietwaar?"

"Ja," zei Karwenna verbluft.

"Mijn naam is Havanger, ik ben hier de bedrijfsleider. Ik heb u gisteravond al gezien. U was hier toch?"

118

"Ja, ik was hier."

"Potter zei al dat u zou komen. Hij zei: Er komt vanavond iemand van de politie om de zaak te bekijken."

"Heeft hij me beschreven?"

"Nee," lachte de man met het blote gezicht, "u was de enige oudere gisteravond."

"Ja, het zijn hier verder alleen maar kinderen."

"Dan valt iemand als u natuurlijk meteen op. Ik wilde nog naar u toe komen, maar u was opeens verdwenen."

Karwenna was opeens blij dat hij hierheen was gegaan. hij stak een sigaret op en vroeg of hij een glas whisky kon krijgen. Havanger zei dat het hem speet. Er was alleen Cola.

"Geeft niets," zei Karwenna, "geef me maar een cola." De jongeman met het bleke gezicht schonk een glas in, vroeg: "Beviel u het hier niet, dat u zo vlug wegging?"

"Ik weet niet, wat ik moet zeggen," zei Karwenna, "ik zou niet willen zeggen, dat het me hier beviel. Het fascineerde me, het heeft nogal indruk op me gemaakt."

Havanger lachte.

"Er zijn al heel wat mensen als een haas er vandoor gegaan." hij lachte vergenoegd: "Nauwelijks binnen en meteen weer eruit, met opgetrokken neus en scheldend."

Hij spreidde zijn armen uit.

"Dit is een café waar je aan moet wennen. Ik ben eraan gewend en tamelijk vlug. Binnen een week."

Hij keek Karwenna eerlijk aan: "Ik vind mijn werk hier geweldig."

Karwenna nam een slok van de ijskoude cola en keek·om zich heen.

"Een geweldige baan?" vroeg hij.

"Nou,I gebeurt hier niet een hoop?" vroeg Havanger, "weet u, ik vraag me ook wel eens af wat de aantrekkingskracht van

119

deze tent is en ik denk dat het het feit is, dat je je hier vrij kunt voelen."

Hij deed zijn best om zich zo goed mogelijk uit te drukken. "Ik geloof dat dat het is. Iedereen die hier binnenkomt kan zich helemaal vrij voelen. Hij kan alles vergeten, wat je anders mee-neemt aan - aan traditie." Hij lachte. "Weet u, ik zeg het nu in mijn eigen woorden, maar er is hier eens een journalist geweest, die het veel beter heeft omschreven."

Hij scheen het erg belangrijk te vinden. Hij zocht achter de bar naar de krantenknipsels, vond ze, en gaf ze aan Karwenna.

Karwenna pakte de verkreukelde krantenknipsels aan. Havanger keek hem verwachtingsvol aan.

Karwenna las het stuk vluchtig door. De schrijver heeft het alleen over de muziek.

..het heeft met muziek niet veel te maken, het is een soort levensritme, dat iets te maken heeft met het ritme van het bloed, het vult alle levende cellen, ver van iedere melodie, iedere emo-tie - ja, ook ver van iedere emotie, het bevat alleen maar een functie en in dat kille, opgewonden functioneren naar een iden-tificeerbaar gevoel: haat. Haat en pijn, meer niet. Tenzij je er ook een soort eerlijkheid aan toe zou willen schrijven, een soort harde oereerlijkheid...

Havanger keek Karwenna over zijn schouder. "Nou," riep hij enthousiast, "dat jankt bijna."

Hij pakte het krantenknipsel terug. "Maar dat artikel heeft ons een hoop publiciteit gegeven. We waren opeens iets wat de mensen gezien moesten hebben. De volgende avond al moesten we de tent sluiten omdat hij afgeladen vol was. Interessant, hè?"

"Ja, heel interessant."

"En denk maar niet dat we tegen ze zeggen hoe ze hier naar toe moeten komen of in welke kleding." Hij keek Karwenna aan: "U weet het. Het is fenomenaal," voegde hij er enthousiast

120

aan toe. Hij had zijn ogen wijd open gesperd en Karwenna dacht: een dömme man. Potter heeft hier de juiste man neergezet.

"Tja," mompelde Karwenna, "Harro deed het hier niet zo goed."

"U heeft hem ontmoet, hè?" vroeg Havanger.

"Ja, ik heb hem ontmoet."

"Nee," zei Havanger, "Harro had het niet. Zijn groep had het niet. Ze maakten een soort muziek die steeds weer op muziek wilde lijken. Ze werden eerzuchtig, ze kwamen hier 's morgens al naar toe om te repeteren dat was tegen de afspraak. Meneer Potter had het gevoel dat hij er ingestonken was en dat is ook wel te begrijpen. Ze waren eerzuchtig, en dat werd niet van ze gevraagd."

Havanger lachte: "U heeft de muziek hier toch gehoord. Dat werd er van ze gevraagd, meer niet. Harro en zijn groep wilden echt optreden. Op een of andere manier waren ze erop uit om concerten te geven," hij lachte hard, "stel je voor: concerten. .En denk eens aan Ingo Wicker. Weet u waar die vandaan komt? Weet u dat hij veroordeeld is?"

"Ja, dat weet ik."

"Die heeft de meeste tijd van zijn leven in de gevangenis gezeten. In de gevangenis heeft hij een klarinet in handen gekregen, omdat ze daar een orkest hadden. Op een of andere manier heeft hij het in zijn hoofd geprent dat hij musicus is."

Havanger lachte hartelijk. "Idioot hè? En dan Holger Stemp, die kent u ook."

"Ja, die rooie."

"Slagwerker," zei Havanger minachtend, "die heeft een kracht, die kan een olifant doodslaan en die slaat nou als een bezetene op de pauken en denkt dan dat hij muziek maakt."

"Wat vindt u van Harro?"

121

"Die heeft verstand van muziek," gaf Havanger toe, "maar hij heeft gewoon niet begrepen wat Potter van hem wilde."

Karwenna bestelde nog een cola. Het ijskoude spul smaakte hem opeens.

Hij staarde voor zich uit, peinzend.

"Hoe was Hilo Gluck?"

"Ach," Havanger maakte een gebaar, "een prima type voor dit café. Die had het wel in zich..."

"Wat had ze in zich?"

"Gevoel voor de muziek die hier gemaakt wordt. Maar op een of andere manier hielden ze het opeens allemaal op - op Mozart?"

Karwenna keek de man verbluft aan.

"Ik zeg maar wat," hij haalde zijn schouders op, "ik probeer alleen maar uit te drukken, wat ik bedoel."

Hij kwam achter zijn bar vandaan. "Kijk eens, dat meisje had geen verstand van muziek, die is er alleen maar bij, nou ja, met haar lijf, mooie billen, stevige borsten die ze ook graag laat zien -preuts is ze niet, haar blouse staat open tot haar navel- maar hersens heeft ze niet veel, je vraagt je af of ze ze wel heeft. Hoe dan ook, ze paste hier uitstekend." Hij lachte, "als die jonge Potter er niet geweest was."

"Hans Potter?"

"Ja eh," mompelde Havanger, "weet u dat niet?"

"Nee. Wat is er met die twee?"

"Hm," Havanger aarzelde opeens, "misschien moet ik er niet over praten."

Hij scheen er ernstig over na te denken of hij niet een fout had gemaakt. Maar Karwenna liet nu niet meer los.

"Hadden die twee een verhouding met elkaar?"

Onwillekeurig moest Havanger lachen. "Ja," riep hij bijna vrolijk uit, "ze hadden een echte love-story samen. Misschien

122

nog wel. Dat wil zeggen," zwakte hij het wat af, "het kan best zijn. Ik kan het alleen maar vermoeden. Sinds Harro hier niet meer speelt, zie ik ze immers niet meer."

"Maar daarvoor?"

"Heb ik ze gezien, bijna elke avond."

Karwenna pakte een nieuwe sigaret, draaide hem tussen zijn vingers rond, zodat de tabak eruit viel. Hij was gespannen, probeerde die spanning te verbergen. Hij dwong zichzelf tot koelbloedigheid. Hans Potter dus en Hilo, dat meisje.

Hij begreep nu opeens waarom Hans Potter zo nerveus was.

Er was een band en, naar het scheen, een sterke band tussen hem en de musici.

"En Potter?" vroeg Karwenna: "Wist hij het, heeft hij het gemerkt?"

"Natuurlijk heeft hij het gezien."

Havanger haalde als het ware diep adem voor de volgende zin: "Die was in alle staten."

De bleke man keek Karwenna met wijdopen gesperde ogen aan, hij stond zo dicht bij Karwenna, dat Karwenna de bloedvaatjes in de ogen van de man zag.

"Weet u," ging Havanger verder, "Potter heeft zijn familie aardig onder de duim." Hij lachte opeens: "Zijn vrouw is een keer hier geweest, samen met de zuster van de procuratiehouder. Heel onschuldig. Waren alleen maar nieuwsgierig, die vrouwen. Potter is erachter gekomen. U kunt zich niet voorstellen hoe ontzet hij was. Hij zei tegen me: Havanger, ik geef je hierbij volmacht om familieleden van me onmiddellijk uit de zaak te verwijderen. Desnoods haal je de politie erbij."

Havanger grinnikte, herhaalde veelbetekenend: "Haal desnoods de politie erbij."

Hij wees op het interieur van de kelder en zei: "Begrijpelijk, heel begrijpelijk, nietwaar? Maar toch," en hij kreeg weer een binnenpretje, "ze hebben een paar keer geprobeerd om me erin te laten lopen." Hij sperde zijn ogen weer open: "Ze waren vermomd, stel je voor."

"Waarom kwamen ze?" vroeg Karwenna.

De man haalde zijn schouders op. "Ik heb er wel een idee over. Maar dat is natuurlijk mijn idee." Hij hief zijn stem: "Ze vonden het thuis te saai!"

Karwenna dronk zijn glas cola leeg, zocht naar een asbak, iets waar Havanger vreselijk om moest lachen.

"Op de grond, gewoon alles op de grond gooien. Heeft u nog steeds niet door waar u hier bent?"

Karwenna gooide de peuk op de grond en trapte hem met zijn schoen uit.

"Nog een ding," zei Karwenna: "U weet dat Wilke is doodgeschoten en dat er op Potter een aanslag is gepleegd?"

"Ja, dat heb ik gehoord," zei Havanger en keek Karwenna verwachtingsvol aan.

Volkomen onverwachts vroeg Karwenna: "Wie denkt u dat het heeft gedaan?"

Havanger snakte even naar adem.

"Ik?" vroeg hij verbouwereerd. "Wilt u mijn mening weten?"

"Ja, daar ben ik erg benieuwd naar."

"Man," zei Havanger, "een mening is een mening en meer niet."

"U heeft dus een mening."

"Natuurlijk heb ik een mening."

Maar hij voelde zich niet erg op zijn gemak, aarzelde even, maar wilde zich toch de kans om zijn mening te geven niet laten ontgaan en zei veelbetekenend: "Harro!"

"Harro Wensler?"

"Ja, dat is er een waar je alles van kunt verwachten. Hij haatte Potter."

Hij wees naar de bar. "Daar stonden ze tegen elkaar te schreeuwen."

"Bij welke gelegenheid?"

"Toen Potter hem eruit gooide. Ze moesten toch van het podium verdwijnen, meteen. Potter zei: Vooruit, verdwijn, onmiddellijk. Ze moesten alles laten liggen. Weet u, dat Harro Potter zelfs bij zijn jasje heeft gepakt?"

"Vertel verder."

"Het zag er naar uit dat er een vechtpartij zou ontstaan. Hans Potter heeft het verhinderd."

"Was hij er dan bij?"

"Ja, hij was erbij."

Havanger genoot duidelijk van het gevoel dat hij misschien belangrijke dingen aan Karwenna verteld.

Hij voegde er, met een afwezige blik aan toe: "Weet u, die kelder hier maakt agressief." Hij lachte zwakjes: "Ik merk het aan mezelf. Ik heb ineens een heel andere instelling ten opzichte van - van gewelddaden, dood, moord."

"Hoe dan?" vroeg Karwenna.

"Alsof het allemaal niet zo belangrijk is," zei Havanger, "en omdat het niet zo belangrijk is, is het denkbaar."

Hij verontschuldigde zich met een onzeker lachje voor deze gedachtengang.

★

Karwenna liep terug naar zijn wagen en stapte in. Hij nam de hoorn van de telefoon en vroeg verbinding aan met zijn bureau.

Henk kwam aan de lijn: "Waar zit je eigenlijk? Ik probeer je al de hele tijd te bereiken."

"Ik ben nog even naar de Black geweest. Wat is er dan aan de hand?"

"De officier van justitie wil met je naar Harro Wensler. Hij staat er op zich een persoonlijke indruk te verschaffen."

Karwenna werd woedend.

"Laat hij me met rust laten."

"Dat kun je niet zeggen," zei Henk bezorgd. "Hij is in alle staten, die kogels, die voetafdrukken. Hij vindt dat we voldoende materiaal hebben om Harro aan te pakken."

"Zeg tegen hem," Karwenna hield zich in.

"Wat voor aardigs moet ik tegen hem zeggen?" vroeg Henk.

"Zeg tegen hem dat je me niet te pakken hebt kunnen krijgen. Ik neem wel weer contact met je op!"

"Vertel mij dan in ieder geval waar je zit, wat je van plan bent."

"Je kunt iets voor me doen. Ik moet het adres van Hilo Gluck hebben."

"Aha," zei Henk, "de kleine voeten."

Henk zocht het adres op en gaf het aan Karwenna door. Hij probeerde nog een keer de officier van justitie ter sprake te brengen, maar Karwenna reageerde gewoon niet en hing op.

Karwenna haalde de plattegrond van de stad tevoorschijn en zocht de Trautmannstraat op. Niet zo erg ver, vond hij. Midden in Schwabing. Hij liet zijn wagen staan, liep de Leopoldsstraat uit en sloeg de Elizabethstraat in.

Nog maar wenig bladeren aan de bomen, zwarte, kale stammen. Huizen met veel ramen, burgerlijke gordijntjes of luiken ervoor. Voordeuren vlak naast elkaar, veel mensen. Mensen in afwachting van de winter, gejaagd, huiverend. Ze waren nog niet gewend aan de kou.

Hilo Gluck deed de deur van haar kleine woning met een zwaai open, keek Karwenna verbluft aan en was even sprakeloos.

Karwenna keek haar aan en dacht: Ze draagt alleen maar Jeans. Ze woont in zulke broeken.

Het meisje was knap. Ze had een gladde huid, zonder enig rimpeltje, een smalle neus, glad voorhoofd, een gladde muur, waarin niets gekerfd was. Grijze ogen, koel, nuchter, maar stralend. Ergens in haar ogen zat een lichtpuntje, met stralingskracht. Er zat levenswil in haar blik.

Het meisje liet Karwenna's blikken over zich heen gaan, zonder te reageren. Ze scheen het hem gemakkelijker te willen maken haar te bekijken, want ze bleef staan, verroerde zich niet. Ze bewoog pas weer toen hij zei: "Ik zou je graag even willen spreken."

Zwijgend deed ze de deur verder open.

Ze is koelbloedig, dacht Karwenna en ging naar binnen.

Het was een tweekamerwoning, schaars gemeubileerd. De inrichting was onverschillig, uit alles sprak dat meubels onbelangrijk waren.

Hilo deed de deur open en zei: "De kommissaris is hier."

Karwenna ging de kamer binnen en zag Hans Potter tegenover zich.

De jongen was absoluut niet koelbloedig. Hij schrok zo hevig, dat hij van top tot teen begon te trillen. Hij werd lijkbleek, alsof zijn bloed in zijn aderen stolde.

"Hallo", zei Karwenna.

Hans Potter maakte een mat gebaar. Hilo Gluck stond middenin de kamer en vroeg: "U wilde mij spreken?"

"Ja," zei Karwenna en hield geen oog af van Hans Potter. Daarvoor was de toestand waarin de jongen zich bevond te abnormaal.

"Wat wilt u?" vroeg het meisje. Nu hoorde Karwenna de kalmte in haar stem.

127

"Niet naar school?" vroeg Karwenna aan Hans Potter.

"Nee, nee", stotterde de jongen.

"Spijbel je?"

"Ik", de jongen keek hulpeloos naar het meisje. Hilo zei: "Praat toch niet zo tegen hem. Is die school zo belangrijk?"

"Wat doe je hier dan?" vroeg Karwenna scherp.

Zijn toon maakte de jongen nog onzekerder. Het meisje keek Karwenna onderzoekend aan.

"O zit het zo", zei ze, "u wilt hem intimideren."

Ze keek naar Hans Potter. "Laat je niet in de war brengen. Ik ken de politie. Ze kunnen zich niet uitdrukken en wat zeggen, zeggen ze nog op de verkeerde toon."

Ze wees op een stoel. "Gaat u toch zitten?"

"Ja," zei Hans Potter nu ook, "u heeft de verkeerde toon. Er is geen enkele reden om zo'n toon aan te slaan."

"Neem me niet kwalijk," zei Karwenna met een glimlach, "ik verbaasde me alleen maar. Zijn jullie met elkaar bevriend?"

Het leek of Hans Potter het antwoord aan het meisje over wilde laten. Ze ging bevallig op een leuning zitten.

"Ja," zei ze, "we zijn bevriend."

"Mag ik weten hoe goed?" vroeg Karwenna.

"Als u denkt intiem bevriend, heeft u gelijk," zei het meisje koel en keek hem aan: "Is dat dan belangrijk voor u?"

"Ja."

Plotseling vervolgde hij: "Zal ik je eens vertellen wat voor schoenen je draagt? Je hebt maat achtendertig. Je schoenen hebben een doorlopende zool, geen hak, die erg hoog is. Mag ik je schoenen eens zien?"

Het meisje staarde hem aan. Hans Potter zag nog steeds lijkbleek.

"Laat me je voet eens zien", zei Karwenna.

Het meisje aarzelde slechts even, stak toen haar voet

128

omhoog.

Karwenna bekeek de schoen, die het meisje droeg, zonder zich er naartoe te buigen.

"Dank je", zei hij. En het meisje zette haar voet weer op de grond.

"Wat heeft dat te betekenen?" zei Hans Potter, "waarom kijkt u naar haar schoenen?"

Karwenna gaf geen antwoord. "Woon je hier alleen?" vroeg hij aan Hilo.

"Ja, ik woon alleen."

"Leven je ouders nog en waar wonen ze?"

"Mijn ouders," zei ze, "die wonen hier niet zo ver vandaan, maar ik zie ze haast nooit."

"Heb je geen contact meer met ze?"

"Zij hebben geen contact meer met mij," ze dacht na. Het leek of ze zo eerlijk mogelijk wilde antwoorden, ze haalde haar schouders op. "Als het fout is, dat ik geen contact met mijn ouders heb, dan weet ik niet bij wie de schuld ligt. Het contact is gewoon opgehouden."

Ze keek Karwenna aan: "Vindt u dat gek?"

"Nee, ik wil me alleen een beeld vormen."

Ze bleef eraan denken en zei zacht: "Ik vind het gek, dat ik geen contact met ze heb. Het geeft wel te denken, vind je niet?"

"Dat zei ik niet."

"Ik denk dat het uw bedoeling is om dergelijke dingen door uw vragen aan het licht te brengen."

"Heb je een beroep?"

"Ik oefen het niet uit."

"Je hebt in een kapsalon gewerkt, hè."

"Ja, maar daar ben ik mee opgehouden."

"Waarom?"

"Stel u zich dat eens voor: de hele dag in zo'n kapsalon. Van

129

's morgens tot 's avonds. Week in, week uit. Een leven lang." Ze lachte en haalde haar schouders op: "Ik had geen zin meer in kapsels. Ik vond het ineens zo idioot." Ze lachte weer: "Het was net of ik koeien een krans omhing." Ze keek hem nu spottend aan: "Nu heb ik zeker iets gezegd, wat me in een bepaald licht zet, nietwaar?"

Ze lachte, terwijl Hans Potter nog steeds nerveus naar Karwenna keek: "Waarom moest u haar schoenen zien?"

Karwenna gaf geen antwoord. "Sinds wanneer speel je gitaar?" vroeg hij aan het meisje.

"Ik zei op een keer tegen Harro: Ik weet niet wat ik heb, ik heb nergens meer zin in, ik vind alles vervelend. Toen zei hij: Speel wat, zing wat. Ieder mens moet wel eens wat kwijt. Onderdruk het niet, laat het de vrije loop." Ze keek spottend naar Karwenna. "Klinkt gek he? Maar zo was het. Dat zei hij en hij heeft gelijk gehad. Ik heb een gitaar gekocht en ben erop gaan tokkelen, zomaar voor de vuist weg. Toen ben ik gaan zingen."

Ze lachte hartelijk.

"U had het moeten horen. Honden en katten kropen ervoor weg."

De tranen rolden over haar wangen van het lachen.

"Maar Harro zei, het doet er niet toe, hoe ik me voelde. Ik hoefde immers niet in een concertzaal op te treden." Ze haalde haar schouders op. "Ik vond het gewoon leuk om te spelen en te zingen. Ik voelde me inderdaad een stuk beter."

"Hoor eens," zei Hans Potter, "u heeft haar toch haar schoenen laten zien. Waarom?"

"Hou toch op met die schoenen," zei Hilo, "je kent de politie nog niet. Ze hebben iets in petto en wachten op het juiste moment om ermee op de proppen te komen."

"Wanneer en hoe ben je op het idee gekomen om bij een

130

groep te gaan?"

"Ik ben niet iemand die ideeën heeft. Ik heb alleen maar gevoelens", ze lachte, voegde eraan toe: "Dat zegt Harro. Van wie anders zou dat idee afkomstig kunnen zijn."

"Dus, Harro zei: laten we een groep samenstellen."

"Ja, het was zijn idee. Een mieters plan. Toen hij ermee aan-kwam, was ik," ze zocht naar het juiste woord, "was ik helemaal door het dolle heen, een enorme bui. Man, zo zou ik me altijd willen voelen, zo'n gevoel wens ik iedereen toe. Het is zoiets als Kerstmis, een belevenis waar ik alles voor laat staan, wat een kick!"

Ze sprak enthousiast, maar haar ogen verloren hun koele uit-drukking niet en ook hun- ja, was het nieuwsgierigheid? Ze scheen intens geïnteresseerd te zijn.

Ze was iemand, dacht Karwenna, die zich niet bedreigd voelde. Ja, dacht hij, dat was het. Ze voelde zich niet in gevaar.

"Hoeveel paar schoenen heb je?" vroeg Karwenna.

Ze stak weer bevallig haar voet naar voren.

"Ik heb alleen deze maar. Als ze kapot zijn koop ik nieuwe. En weer dezelfde."

Ze keek hem nieuwsgierig aan.

"Zijn die schoenen zo belangrijk voor u?" vroeg Hans Potter.

Hilo stak haar hand uit, pakte de jongen bij zijn arm.

"Laat nou", zei ze zacht.

"Dus," ging Karwenna verder, "Harro richt een band op, met louter amateurs."

"Hij is immers zelf ook amateur."

"Wanneer zijn jullie begonnen in het openbaar te spelen?"

"Op een zaterdagmiddag in het winkelcentrum. Harro zei: We proberen het gewoon." Ze lachte weer. "We waren vreselijk bang. U kent Ingo Wicker en Holger Stemp toch? Die waren het meest bang. We zijn met knikkende knieën naar het winkel-

131

centrum gegaan, hebben de boel opgesteld en zijn gewoon los-gebarsten."

De herinnering scheen Hilo gelukkig te maken.

"Ik weet niet hoe we gespeeld hebben. Vast niet erg bijzon-der. Een genot voor het oor is het beslist niet geweest, maar," ze zuchtte even, "ik kan gewoon niet zeggen hoe geweldig ik me voelde. Harro had gelijk: Het was een manier om iets te uiten, iets af te reageren. Ik voelde me erna veel vrijer, ik voelde me fantastisch."

Ze zweeg even.

"Die zaterdag is alles trouwens begonnen. Potter had ons namelijk gehoord. Hij was langsgelopen met zijn vrouw, was blijven staan en had naar ons staan luisteren."

Ze stond op van de leuning. "Maar nu zou ik u toch ook wel willen vragen waarom u zich voor mijn schoenen interesseert."

"In de tuin van Potter zijn in de nacht van de moordaanslag voetafdrukken gevonden. Van drie personen, waaronder een vrouw," hij wees naar haar schoen; "die maat."

"Wat?" riep het meisje verbaasd uit. Ze zag er ontdaan uit.

Ze heeft er niet opgerekend, dacht Karwenna, ik vertel haar iets nieuws, iets waar ze niet op bedacht was."

Karwenna wierp een blik op Hans Potter.

"De jongen stond er bij of hij een klap op zijn hoofd had gehad.

Een voltreffer, dacht Karwenna. Hans Potter was nog bleker geworden, hij verkleurde, werd bijna groen, zag eruit als iemand die ieder ogenblik over zijn nek kon gaan.

Hilo zag het, ging vlug naast hem staan en zei: "Zozo, u heeft een voetafdruk gevonden, maat achtendertig, doorlopende zool. En u denkt, dat het de mijne is?"

Ze verhief haar stem en deed haar best om haar stem zo spot-tend mogelijk te laten klinken. "Als u daar werkelijk van overtuigd was, zou u mijn schoen allang hebben uitgetrokken!"

"Dat doe ik ook nog wel. Dat wil zeggen, ik neem hem gelijk mee." Hij wendde zich tot Hans Potter. "Jij ook."

"Zeg, luister eens," stoof het meisje op: "U kunt mij meenemen, ik zal niet weigeren, u kunt mijn schoenen meenemen met alles wat erin zit, maar waarom wilt u hem meenemen?"

"Als jij in de nacht van de moord in de tuin van Potter was, dan weet hij dat. Daarom neem ik hem mee...."

De jongen stortte zowat in, hij zag er volkomen hulpeloos uit. Hij zwaaide met zijn handen alsof hij ergens houvast zocht.

Het meisje sloeg haar arm om de schouders van de jongen.

"Ach wat," riep ze uit, "laat je niet op stang jagen. Niet door hem. Ik ken de politie. Ze zeggen zomaar wat, beweren iets, omdat ze erop uit zijn je te laten schrikken."

"Daar kon je wel eens gelijk in hebben," zei Karwenna, "als ik zo eens naar je vriend kijk, is het aardig gelukt."

Hij viel uit tegen Hans Potter: "Waarom ben je zo geschrokken? Vooruit, zeg eens op! Wat is er met je aan de hand? Zal ik het eens zeggen: je weet dat je vrienden bij jullie over het hek zijn geklommen. We hebben voetafdrukken van verschillende personen gevonden. Holger Stemp heeft een steen uit de Fortunastraat meegenomen, hij hefet hem bij jullie door het raam gegooid en iemand heeft naar binnen geschoten."

Karwenna sprak nu langzamer. Tenslotte brak hij af.

"Laat je niks wijsmaken", riep Hilo Gluck, ze had Hans als het waren tegen zich aan geklemd. "Het is niet waar. Je hoeft alleen maar nee te zeggen. Zeg alleen maar nee. Je zegt de waarheid als je nee zegt. Luister niet naar hem."

Karwenna stond wat peinzend te kijken. Ja, dacht hij, zo was het. Ze zijn over het hek geklommen, ze hebben een steen door het raam gegooid en hebben naar binnen geschoten. Dat was het ogenblik waarop hij gestopt was. Naar binnen geschoten.

Om Potter te doden? Nee. Karwenna schudde zijn hoofd, alsof hij fysiek moest antwoorden op die innerlijke vraag. Nee, nee, herhaalde hij. Ze wilden schieten, maar niet doden. Als ze niet wilden doden, waarom hebben ze dan geschoten?

Hilo en Hans Potter stonden nog steeds aan elkaar vastgeklampt, ze staarden naar Karwenna, die ze helemaal niet leek te zien. Hilo begon opeens te huilen, zonder geluid, de tranen rolden over haar wangen.

Wacht even, wacht even, dacht Karwenna. Als ze niet wilden doden, waarom dan die hele toestand? Er zat iets achter waar hij niet op kon komen. Maar een ding was hem opeens duidelijk: Potter moest niet gedood worden. Het zou te gemakkelijk zijn geweest. Het was nog makkelijker dan hem op kantoor van achteren neer te schieten.

Wat was het dan? Een demonstratie? Een afleidingsmanoeuvre? Karwenna dacht over dat woord na. Het beviel hem wel, het leek de juiste uitdrukking, zonder dat hij zou kunnen zeggen waarom.

Maar als het een afleidingsmanoeuvre was, dan was de volgende vraag: waarvan?

Zijn blik werd weer helder. Hij zag Hilo en Hans staan. Ze huilden nu allebei, geluidloos. Ze stonden daar met natte gezichten en keken Karwenna aan als twee kinderen. Zelfs Hilo leek een kind.

Karwenna glimlacht zwak.

Hij had het gevoel dat hij een ontdekking had gedaan: De musici waren 's nachts bij Potter binnengedrongen, hadden een steen gegooid, schoten gelost, maar ze zijn niet de moordenaars.

Aan de andere kant, ze hebben geschoten met het moordwapen. Ze kennen de moordenaar dus.

Die gedachte veroorzaakte een eerste gevoel van opluchting

bij Karwenna.

Hans Potter en Hilo hielden elkaar nog steeds vast.

Karwenna zei vriendelijk: "Laten we gaan."

"Wat?" vroeg het meisje. Haar gezicht vertrok van woede. "Wilt u ons meenemen? Waar naar toe?"

"Naar het bureau."

"Waarom? Wat wilt u van ons?"

"Ik wil jullie alle twee verhoren. Van dat verhoor schrijf ik een proces verbaal, dat jullie alle twee moeten ondertekenen."

Daar schrokken ze van.

"Worden we gearresteerd?"

"Nee, nee."

"Dan heeft u het recht niet om ons mee te nemen."

"Waarom zou je je verzetten?" vroeg Karwenna.

"U heeft gelijk", zuchtte het meisje. "Er kan niets gebeuren. U denkt misschien dat er iets gebeurt. Maar er zal niets gebeuren. U kunt doen wat u wilt."

Het leek of die woorden ook voor Hans Potter bedoeld waren. Ze had hem nog steeds niet losgelaten en keek hem nu aan.

"We kunnen rustig meegaan."

★

"Wie heb je nou bij je?" vroeg Henk verbluft, toen hij Karwenna met Hilo Gluck en Hans Potter binnen zag komen.

Hilo scheen zich te hebben voorgenomen er het beste van te maken. Ze hield haar hoofd fier rechtop, kin in de lucht, maar haar blouse verder open dan fatsoenlijk was. Ze zag met glinsterende ogen dat een paar agenten hun werk onderbraken om

135

naar haar te kijken.

Het meisje lachte verachtelijk. Ze had de jongen al die tijd niet losgelaten, hield hem bij de hand.

Hans Potter liep alsof hij slaapwandelde. Zijn bewegingen leken vertraagd. Hij liep schokkerig, als een blinde, die geleid moet worden.

Karwenna bracht ze naar de verhoorkamer, liet ze daar allen en kwam terug.

Hij vertelde Henk wat hij intussen had gedaan.

"Henk," zei hij, en hij voelde de opwinding weer, "ze waren het, Harro en zijn musici, ze zijn over het hek geklommen, 's nachts om twee uur. Stemp heeft die steen gegooid, een van hen, waarschijnlijk Harro, heeft door het raam in het plafond geschoten. In het plafond van de kamer," voegde hij eraan toe.

Hij herhaalde nog een keer wat zijn overuiging was: "Alles spreekt ervoor dat deze overval een afleidingsmanoeuvre was, bedoeld om een spoor uit te wissen..."

"Ja," zei Henk aarzelend, "dat klinkt goed, maar welk spoor moest uitgewist worden?"

Henk dacht diep na. "Ik kom er niet uit." Hij keek opeens zorgelijk. "Je gaat toch niet op persoonlijke indrukken af?"

"Nee, nee", bezwoer Karwenna hem en dacht: Lieg je nu niet? De stem van Harro klonk nog in zijn oren: Ik zal die jongen z'n vader toch niet kunnen doodschieten. Waarheid, dat is de waarheid. Hij zou het werkelijk niet doen.

Karwenna zat op zijn stoel, staarde voor zich uit.

"Ik voel het duidelijk", zei hij. "Het is met twee handen te grijpen. De overval op het huis van Potter is door Harro in scene gezet," hij zweeg even om het nog eens te benadrukken. "Het is in scene gezet, ze hebben er allemaal aan meegedaan!"

Karwenna verzonk in diep stilzwijgen, vroeg zich af: waarvoor?

Henk trok een stoel bij en ging naast Karwenna zitten alsof hij hem op die manier kon helpen.

"Iemand moet er baat bij hebben gehad," zei Henk. "Als jouw veronderstelling klopt, dan moet die iemand te vinden zijn. Er komen maar weinig mensen in aanmerking."

Karwenna stond op.

"Kom mee", zei hij.

Ze gingen samen naar de verhoorkamer. Hans Potter en Hilo stonden dicht tegen elkaar aan. Hilo had haar handen om het hoofd van de jongen gelegd en hem tegen zich aangetrokken.

Ze schrok niet, toen de deur openging. Ze maakte zich langzaam los van Hans Potter, hield haar blik op hem gericht, glimlachte alleen maar troostend, teder.

Karwenna herinnerde zich opeens de scene in MacDonalds, toen Harro, Hans Potter op eenzelfde manier tegen zich aan had getrokken. Er had zoveel hartelijkheid in dat gebaar gelegen! De hartelijkheid van Harro had Hans Potter gegolden, de tederheid en bezorgdheid van Hilo gold Hans Potter.

Hans Potter!

Karwenna herhaalde die naam. Het was alsof hij hem hardop had uitgesproken. Luid klonk het na in zijn oren: Hans Potter.

Henk keek Karwenna verwonderd aan. Karwenna was bij de deur blijven staan, bewoog zich nu aarzelend, alsof hij droomde.

"Nou, zullen we beginnen?" vroeg Henk.

"Tja", zei Karwenna, ging zitten en keek Hans Potter en Hilo Gluck afwezig aan.

"Ja, natuurlijk", zei hij zacht. "Trek eerst je schoen eens uit."

Zwijgend trok Hilo haar schoen uit, gaf hem aan Karwenna, Karwenna keek naar Henk, die de kamer uitging om de afdruk te halen. Henk legde de afdruk op tafel en Karwenna zette Hilo's schoen erin.

Henk grijnsde: "Zit als gegoten."

Hij keek Hilo nieuwsgierig aan. Maar die schrok nu niet meer. "Man," zei ze, "in die afdruk daar kan ik wel honderd schoenen zetten. Daar ben ik niet van onder de indruk."

Ze keek Henk bijna nieuwsgierig aan. "Wat heeft u zich voorgesteld? Dat ik in elkaar zou storten? Ik stort niet in elkaar. Het is een volkomen misser."

Ze liep met snelle soepele bewegingen naar de tafel en pakte haar schoen. "Of wilt u soms zeggen dat dit overtuigend is?"

Ze draaide zich om en keek Hans Potter aan. "Het is niet overtuigend. Zie je? Je kunt iedere willekeurige schoen, maat achtendertig erin zetten. Ze passen allemaal."

Ze lachte, toonde haar sarcasme en agressie openlijk. Ze zette triomfantelijk haar borst vooruit, zodat die haast uit haar blousje sprong. Het was een opwindend gezicht. Henk zuchtte diep, hij zei achteraf tegen Karwenna: Dat kind is het helemaal. Voor de man tegen wie ze ja zegt is ze een geschenk uit de hemel.

Karwenna keek peinzend naar Hilo. Zijn blik gleed naar Hans Potter. De jongen zei niets, maar het was duidelijk dat hij verdoofd was.

"Tja," zei Karwenna, pakte Hilo's schoen op, keek ernaar en gaf hem toen met een spontaan gebaar terug.

"Hier, trek maar aan en ga weg."

Hilo keek hem verbluft aan, maar reageerde toen snel. Ze ging op een stoel zitten, trok haar schoen weer aan en riep: "U ziet het dus in. U heeft begrepen dat u me niets kunt maken. Mij niet. Ons niet."

Ze lachte tegen Hans. "Je ziet dat hun trucje niet heeft gewerkt."

Hans Potter begreep het niet helemaal. Zijn gezicht had een nadenkende uitdrukking. Hij leek op iemand die slecht hoort, het niet goed verstaan heeft.

Hilo stootte hem aan. "We mogen gaan."

Ze draaide zich om. "Hij toch ook?" Er was nu duidelijke spanning van haar gezicht te lezen.

"Ja, hij ook", zei Karwenna.

De lach kwam terug op haar gezicht. "Heb je het gehoord?" riep ze, "we mogen allebei gaan."

Ze staarde Karwenna triomfantelijk aan. "Nou dan," zei ze. "Uw schrikeffecten hebben niet geholpen. Allemaal voor niets geweest zomaar wat losse flodders in de lucht."

"Tja", zei Karwenna glimlachend en herhaalde haar woorden: "Zomaar wat losse flodders in de lucht."

Hilo's adem stikte opeens, haar blik werd onzeker.

Ze moest zich met geweld beheersen.

"Goed." Ze pakte Potter bij de hand en ging met hem naar buiten.

Henk had het geheel met verbazing gadegeslagen.

"Ja, hoor eens," zei hij nu, "wat is hier eigenlijk aan de hand? Ik zit op een scherp verhoor te wachten en jij laat ze na drie tellen vertrekken, nadat ik nauwelijks haar schoen in de afdruk heb gezet."

"Ja," zei Karwenna, "ik wist opeens voor wie dat hele theater op touw was gezet door Harro."

"Ja, voor wie dan?" vroeg Henk en dacht na, aarzelde, keek ongelovig naar Karwenna en durfde het nauwelijks te zeggen, fluisterde toen: "Die jongen daar? Bedoel je die?"

"Ja, die bedoel ik. Ik bedoel Hans Potter."

Henk floot even. "Wacht eens", zei hij ontdaan. "Jij denkt dus dat wat er 's nachts bij Potter in de tuin is gebeurd een afleidingsmanoeuvre was. Het moest de aandacht afleiden van", hij aarzelde, zijn stem klonk ongelovig, "van Hans Potter, van Potters eigen zoon?"

"Ja, dat denk ik."

"Nu even kalm aan", zei Henk zacht. "Jij houdt het dus voor mogelijk dat die jonge Potter de moordenaar is."

"Ja."

"Dat hij Wilke heeft doodgeschoten?"

"Ja."

"We nemen nog steeds aan dat Wilke het slachtoffer is geworden van een verwisseling. Of niet meer?"

"Ja, nog steeds."

"Dat betekent," Henk verhief zijn stem, "dat jij het voor mogelijk houdt, dat de jonge Potter zijn eigen vader wilde vermoorden."

"Ja, dat betekent het", zei Karwenna heftig en keek Henk met een intensieve blik aan, "ik kan er toch niet omheen, als alles in die richting wijst."

"Nee, nee", mompelde Henk, "maar als je dat dan denkt, waarom houd je die jongen dan niet hier? Waarom verhoor je hem niet?"

Karwenna zette het raam open. De verwarming stond veel te hoog, het was ondraaglijk warm. Karwenna ademde de koude lucht in, en draaide zich toen om.

Hij had zijn kalmte weer hervonden.

"Toen die overval op Potters huis werd gepleegd, was de jongen thuis. Maar was hij om acht uur ook thuis, toen Wilke werd vermoord?"

Karwenna ijsbeerde door de kamer, vergat het raam, dat Henk nu dicht deed, omdat hij begon te bibberen van de kou.

"Dat zal hij me niet zeggen," vervolgde Karwenna, "dat moet hij me niet zeggen, want dat is iets, wat ik kan vaststellen zonder het aan hem te vragen."

Henk schudde zijn hoofd: "Die jongen een moordenaar?"

"Kijk eens naar hem," zei Karwenna, "hij beeft als een riet, is lijkbleek, kan geen woord uitbrengen." Hij staarde Henk aan:

140

"Zie je dan niet dat die jongen volkomen radeloos is?"

VII

Terwijl Karwenna naar Potters villa reed, dacht hij na. Die jongen, dacht hij alsmaar: die jongen. Hij herinnerde zich de eerste ontmoeting met de jongen. Hoe was dat ook alweer? Karwenna was naar de plaats van het misdrijf geroepen, had daar Potter aangetroffen. Potter had een afspraak gehad met Wilke. Karwenna had zich nog niet met de vraag beziggehouden wie daarvan op de hoogte kon zijn. De dader moest geweten hebben, dat Potter op kantoor was. En dat kon alleen iemand uit Potters naaste omgeving zijn.

Weer schoot die gedachte door hem heen: die jongen.

Hoe ging het verder? Na een eerste onderzoek was hij met Potter naar Eva Wilke gegaan. Potter had hem, Karwenna gevraagd naar zijn huis te rijden om mevrouw Potter op te halen. Hoeveel later was dat? Ongeveer twee uur later. Karwenna was dus naar Potter gereden. Claudia had opengedaan, toen was mevrouw Potter verschenen. Waar was de jongen geweest?

Hij kwam heel laat, toen hij, Karwenna, al weg wilde gaan met mevrouw Potter, hij stond boven aan de trap omdat Claudia hem had geroepen.

Waarom had hij zich niet eerder laten zien? Hij moet toch de telefoon, de auto, de onrust in huis gehoord hebben. Maar hij kwam pas toen Claudia hem riep. Karwenna zag het beeld weer voor zich: De jongen bleek, bovenaan de trap staand. Mevrouw Potter had geroepen: Er is iets ontzettends gebeurd!

De jongen had niet gevraagd: Wat dan? Wat is er dan gebeurd?

Hij was zwijgend naar beneden gekomen, zijn hand op de leuning, alsof hij zich vast moest houden. Hij was bleek geweest, herinnerde Karwenna zich, hij had er suffig uitgezien als iemand dacht hij plotseling, die het al weet.

Karwenna reed in een halve droomtoestand, zo diep was hij in gedachten verzonken.

Wanneer had hij hem voor de tweede keer gezien? Om half drie 's nachts, toen hij, Karwenna, na de overval op Potters huis, opnieuw naar de villa was gegaan.

Maar toen stond alles op z'n kop. De ontreddering van de jongen viel toen niet op. Karwenna herinnerde zich de futloosheid van de jongen. Terwijl iedereen bezig was, had de jongen er zwijgend bijgestaan. Potter was actief geweest, hij was door de tuin gelopen, door het huis. Mevrouw Potter had soep gemaakt, ze waren allemaal opgewonden en uitten die opwinding in dingen doen.

Alleen Hans Potter had er zwijgend bijgestaan.

Daarna had Karwenna de jongen de volgende ochtend gezien. Potter had zijn zoon meegenomen naar kantoor. Karwenna herinnerde zich weer die merkwaardige matheid.

Het werd steeds duidelijker in zijn herinnering en de verdenking van Karwenna werd haast zekerheid.

Claudia liet Karwenna binnen.

Ze was alleen thuis, zei, dat haar moeder met Eva Wilke de

stad in was en ieder moment terug kon komen.

Of Karwenna wilde wachten.

"Ja," zei hij, "ik wacht wel."

Claudia keek hem nieuwsgierig aan. "Schiet het al wat op?" vroeg ze, "wij denken de hele dag aan niets anders. 's Avonds durft niemand meer naar het raam te lopen."

"Wees maar niet bang", zei Karwenna, "daar zie ik geen gevaar meer. Ja, ik zou zelfs willen zeggen: Het gevaar is absoluut geweken."

"Waarom bent u daar zo zeker van?" Ze keek hem onderzoekend aan: "Er is dus toch nieuws?"

Karwenna gaf geen antwoord.

Hij genoot weer van het mooie interieur van Potters huis, de kostbare meubels, de lichte schilderijen aan de muur, de stille schoonheid van rijkdom en hij moest opeens aan de kelder denken, waar de kinderen op kisten zaten, op houten blokken, op het beton, als ratten bij elkaar, ver van iedere rijkdom, iedere smaak, god, dacht Karwenna, het zijn twee werelden. En opeens overviel hem de gedachte: het motief? Kon daar het motief in liggen? In die vreselijke tegenstelling?

"Mag ik u iets aanbieden?" vroeg Claudia.

"Ja, graag."

Claudia deed de huisbar open. Karwenna vroeg een glas bier. Hij keek toe hoe Claudia bier in een zilveren beker schonk. Een mooi meisje, dacht Karwenna en hij zag opeens Hilo Gluck voor zich. Ook die twee meisjes belichaamden twee werelden. Claudia was omgeven door- ja, hoe moest je dat noemen? Omgeven door een klinische reinheid, zeepreinheid, ze was antiseptisch, ze glom. Ze belichaamde iets, dacht Karwenna, ja wat belichaamt ze? Hij dacht ingespannen na, alsof de beantwoording van die vraag heel belangrijk was. Ze belichaamde de gaafheid van een maatschappelijke laag, de burgerlijke, de in

143

rijkdom levende laag.

Alsjeblieft, dacht Karwenna, nu geen levensbeschouwingen. Hij lachte even, zodat Claudia hem verbaasd aankeek.

Ze gaf hem het bier. Haar blik was stralend, ook in haar ogenlag levenslust, maar ze bood toch een ander beeld, dacht Karwenna, een heel ander.

"Kent u de Black?" vroeg Karwenna.

"Ik heb erover gehoord," zei Claudia, "het moet iets vreselijks zijn."

"U bent er nooit geweest?"

"Nee, ik had voldoende aan wat mijn vader er over vertelde."

Karwenna glimlachte. "Vindt u het juist dat uw vader zijn geld verdient met dergelijke gelegenheden?"

Hij had de vraag als terloops gesteld. Claudia keek hem verwonderd aan.

"Hoe bedoelt u dat?" vroeg ze. Ze had hem kennelijk niet begrepen.

"Ik bedoel," formuleerde hij wat scherper, "of uw vader het nodig heeft om zijn geld met zulke obscure gelegenheden te verdienen?"

Claudia begreep, dat haar vader werd aangevallen, haar gezicht werd rood, zo snel reageerde ze nu.

"Wat wilt u daarmee zeggen?" riep ze uit, "mijn vader heeft verschillende zaken. Onder andere de zaak die u obscuur noemt. Hij is - hij is een zakenman. Hij hoeft zich tot niet met zijn zaken, met zijn publiek te identificeren. Het publiek interesseert hem helemaal niet."

Karwenna zag de opwinding, die het gezicht van het meisje verlevendigde.

"Hoe denkt uw broer erover?"

Claudia keek hem verbaasd aan. "Mijn broer?"

"Denkt hij er ook zo over?"

"Nee, hij denkt er niet zo over," antwoordde ze, "Ze werd opeens kalmer, "hij heeft een ander standpunt. Een volledig ander standpunt." Ze keek hem vol aan. "Dat weet u toch?"

"Nee, dat weet ik niet."

"Maar u heeft toch gehoord dat hij met die musici bevriend is, die musici die mijn vader eruit heeft gegooid."

"Ja, dat heb ik gehoord," zei Karwenna, "maar ik heb me niet gerealiseerd dat de opvattingen van uw vader en uw broer zo tegenstrijdig waren."

Haar ogen vernauwden zich, ze keek Karwenna oplettend aan. Ze zocht kennelijk naar de reden van Karwenna's opmerking.

"Ja," zei ze toen, "ze hebben heel verschillende opvattingen. Mijn vader heeft het daar erg moeilijk mee."

"Die vriendschap bevalt hem niet."

"Nee."

"Vooral die met dat meisje, die gitariste," Claudia schrok. "U weet ervan?"

"Ja, ik heb het gehoord." Scherper, nuchterder zei hij: "Uw broer heeft een liefdesverhouding met een meisje. Ze maken er geen geheim van. Ze komen er eerlijk voor uit. Hij komt bij haar thuis."

Claudia zuchtte ze was zichtbaar verrast.

"Ja," zei ze, "het is een bijzonder ongelukkige geschiedenis. Mijn vader zit er heel erg mee."

"Waarom?"

"Nou, begrijpt u dat dan niet?" vroeg Claudia. "Dat is toch geen meisje voor mijn broer?"

"Waarom niet?"

Ze was van haar stuk gebracht, zocht naar woorden, schudde haar hoofd. "Als u dat niet begrijpt. Ze past niet bij mijn broer, ik bedoel, ze past niet in onze familie. Het is geen goede partij."

"Wat is een goede partij?" vroeg Karwenna.

Ze haalde geïrriteerd haar schouders op en weigerde antwoord te geven.

"Is dat zo belangrijk voor u?"

Karwenna dronk het koele bier. Hij voelde zich gespannen, overwoog iedere zin en bewoog zich behoedzaam naar zijn doel toe. "Nou ja," zei hij, "problemen tussen vader en zoon zijn tegenwoordig niets bijzonders." Hij keek op. "Uw broer is erg gevoelig."

"Ja, dat is hij inderdaad."

Claudia was opgelucht, dat het gesprek een andere wending nam. "Ja, hij trekt zich alles heel erg aan."

"Hij is veranderd, nietwaar?"

"Ja," knikte ze, "hij is volkomen veranderd na de gebeurtenissen van de afgelopen dagen. Hij trekt het zich vreselijk aan."

Ook Karwenna knikte nu.

"Het is me opgevallen. De eerste avond al, toen ik kwam vertellen dat Wilke was vermoord."

Hij onderbrak zichzelf.

"Hij hoorde het helemaal niet van mij. Hoe was het ook al weer? Ik stond op het punt om met uw moeder naar Eva Wilke te gaan. U riep uw broer en hij verscheen bovenaan de trap en het was uw moeder die zei: "Er is iets ontzettends gebeurd."

Hij keek Claudia aan. "Toen heeft u het uw broer verteld."

"Ja", knikte ze.

"Hoe nam hij het op?"

Claudia zei: "Hij was vreselijk gedeprimeerd. Hij ging op de trap zitten huilen. Ik moest hem een kalmeringsmiddel geven. Hij was volkomen over zijn toeren, ging naar de badkamer en moest overgeven."

"Oh", zei Karwenna.

"Hij was altijd erg gesteld op Wilke. Daarom was het zo'n

146

vreselijke klap voor hem."

"Ik was tegen een uur of tien bij u. Waarom heb ik hem toen niet gezien?"

"Hij was net thuis gekomen. Mijn moeder en ik waren zo ongerust over het telefoontje van mijn vader. We wilden er met Hans over praten, maar hij was in bad."

"In bad?"

"Ja, ik ben naar boven gegaan, heb gezegd: "We hebben zo'n vreemd telefoontje van vader gekregen. Er komt straks iemand van de politie om mamma op te halen."

"Wat zei hij?"

"Hij kwam niet tevoorschijn. Hij riep door de deur dat hij zo kwam."

"Maar hij kwam niet."

"Nee," ze aarzelde. Het was of het nu pas tot haar doordrong wat er eigenlijk werd gevraagd.

"Waarom vraagt u dat allemaal zo uitgebreid?"

Karwenna gaf de koele zilveren beker terug en keek het knappe jonge meisje peinzend aan.

Heel concreet, hard bijna zei hij: "Uw broer was dus om acht uur niet thuis?"

Ze schrok, zei toen: "Nee. Waarom legt u zo de nadruk op dat tijdstip? Is dat belangrijk?"

Karwenna gaf geen antwoord. Hij deed een paar stappen door de kamer, keek naar de schilderijen aan de muur, hij voelde zich omgeven door schoonheid, rijkdom, harmonie en voelde iets als een verdoving over zich komen, hij had het gevoel dat hij zweefde. Maar het waren alleen zijn vermoedens die hem dat zwevende gevoel gaven. De constatering: om acht uur, toen de dader op Wilke schoot, was Hans Potter niet thuis. Hij kwam even voor tienen thuis, liep de trap op, verdween meteen in de badkamer, kwam niet tevoorschijn, hoewel zijn zuster op de deur klopte en gezegd had: Er is zo'n vreemd telefoontje gekomen. We maken ons zorgen. Hans Potter was niet eens tevoorschijn gekomen, toen hij, Karwenna was voorgereden.

Karwenna voelde de spanning van zich af vallen. Zijn lichaam verslapte, hij voelde zich nu zelf gedeprimeerd en dacht: Hij was het. Die jongen was het!

En hij voegde er in gedachten aan toe: In godsnaam.

★

Karwenna belde aan de deur bij Harro Wensler. Hij moest even wachten voor de deur open werd gedaan. De sterke brilleglazen van de vrouw flikkerden.

"Kan ik Harro even spreken?"

Kennelijk herkende de vrouw Karwenna, want ze deed de deur verder open. "Kom verder," zei ze vriendelijk. "Harro is opgehaald."

"Door Hans Potter en Hilo Gluck zeker?"

"Ja", knikte de oude vrouw, "ruim een uur geleden. Hij komt waarschijnlijk zo terug. Of wilt u later een keer terug komen?"

"Nee, ik wacht wel op hem", antwoordde Karwenna.

De gang was erg smal en stond vol oude meubels. Het rook er naar bedorven lucht, alsof etensgeuren zich hadden vastgezet in de gordijnen en de lopers.

De oude vrouw ging Karwenna voor in een keuken.

Ondanks de sterke bril scheen ze slecht te kunnen zien. Ze kwam wat dichterbij om Karwenna's gezicht goed te kunnen zien.

"Gaat u zitten", zei ze. Ze trok een stoel bij en maakte een gebaar.

Mevrouw Wensler was een jaar of vijftig. Ze was zwaar, haar lichaam was opgezwollen. Ze bewoog zich moeilijk. Haar armen en benen daarentegen waren dun. Die verkeerde verhouding tussen lichaam en ledematen zou lelijk zijn geweest, als het gezicht er niet was geweest. Dat was ook wel dik, grauw en rimpelig, maar er lag zo'n lieve glans over, zo'n zachtheid.

"Heeft Harro verteld wie ik ben?" vroeg Karwenna.

"Hij zei, dat u een vriend van hem was."

"Oh", zei Karwenna.

"Bent u geen musicus?" vroeg mevrouw Wensler, "ik dacht dat u ook musicus was." Ze lachte: "Dat is niet zo gek om dat te denken, want hij gaat alleen met musici om." Ze keek Karwenna goedmoedig aan. "Alles wat met muziek te maken heeft, is interessant voor hem. Verder niets."

Ze wees naar de keukenkast. "Daar liggen zijn boeken. Hij leest onder het avondeten en weer bij het ontbijt."

"Mag ik eens kijken", zei Karwenna, pakte de boeken en bekeek ze. Het waren muziekboeken. Studieboeken. Prof. Herfst: instrumentale muziek. Wegener: Compositieleer. Een boek over Mozart. Mozart?

Karwenna bladerde het door en vond het stempel: Stadsbibliotheek. De boeken waren geleend.

Langzaam legde Karwenna de boeken terug.

"Ik vraag me af," zei mevrouw Wensler, "of het wel goed is wat hij doet. Dat alles op een kaart zetten. Dat kan toch eigenlijk niet? Je moet toch altijd meer ijzers in het vuur hebben. Dat is mijn mening. Dat was ook de mening van mijn man, die zou het hier ook niet mee eens zijn geweest."

De vrouw had een prettige stem. Er was geen betweterigheid in, alleen een zachte gelatenheid, en wat bezorgdheid.

Ze stond bij het fornuis, hield een pan in de gaten, roerde er af en toe in. Ondanks haar bijziendheid deed ze dat allemaal handig. Kennelijk kende ze in deze keuken ieder klein detail.

"En musicus? Waar hij dat vandaan heeft. Heeft u hem gehoord?"

"Ja, ik heb hem gehoord."

"Wat vindt u er nou van? Ik ben aangewezen op wat anderen ervan zeggen. Want voor mij is een noot een noot, ik ben niet in staat om onderscheid te maken tussen goed of slecht." Ze lachte even.

"Ik geloof dat hij begaafd is."

"Maar hij is niet tevreden, ja, als hij nou maar tevreden was! Maar dat is hij niet. Hij zegt, dat hij te weinig kan. Als hij dat nu zelf zegt, waarom laat hij het dan niet? Dan moet hij toch ophouden. Maar hij zegt, dat hij dat niet kan.

Ze schudde bezorgd haar hoofd.

"Daar maak ik me zorgen over, dat hij niet optimistisch is en toch alles op een kaart zet."

Ze scheen erg met dat probleem bezig te zijn en ging verder: "Weet u, in onze familie is het niet gebruikelijk om alles op een kaart te zetten. Dat kunnen we ons niet permitteren. Mijn man kon dat niet en ik ook niet. We zijn er altijd op uit geweest verschillende dingen te beheersen. Mijn man was arbeider bij de spoorwegen, maar als ze hem hadden ontslagen, had hij meteen in een ander vak aan de slag gekund, schoenen lappen, behangen. Zo had je tenminste nog een kleine zekerheid dat je je door het leven kon slaan. Maar artiest zijn? Dat betekent alles op een kaart zetten. Heb ik niet gelijk?"

Ze keek Karwenna aan. "Harro heeft een goed vak opgegeven. U weet, wat hij was?"

"Hij was verwarmingsmonteur."

"Ja, en hij verstond zijn vak. Hij verdiende goed. Tot hij op die muziek kwam. Zijn baas kwam bij me en zei: Wat is er met die jongen aan de hand? Is hij ziek? Hij was zondags naar de bouw gegaan, had de verwarmingselementen in een halve cirkel om zich heen gezet en had er met een ijzeren buis op geslagen."

Bezorgd keek ze Karwenna aan. "Hij maakte muziek. Met centale verwarmingselementen. We zijn er heel erg van geschrokken. In verwarmingselementen wordt warmte gemaakt, anders niets. Ook zijn baas was ontdaan en bezorgd."

Ze roerde weer in de pan, waarin ze kennelijk een groentesoep maakte.

"Muziek," zei ze opeens heel ernstig, dat is niets voor ons. Geloof me, dat is een vreemd terrein."

De voordeur werd geopend en even later kwam Harro binnen.

Harro bleef verbluft staan. Nee, niet verbluft, geschrokken. Hij was hevig geschrokken.

"Wat doet u hier?" vroeg hij en keek argwanend naar zijn moeder en vroeg: "Wat wilde hij? Heeft hij je uitgehoord?" Hij draaide zich nu weer om naar Karwenna. "U heeft mijn moeder uitgehoord hè?" snauwde hij tegen Karwenna. Harro stond op het punt zijn zelfbeheersing te verliezen. Hij haalde diep adem en probeerde tot bedaren te komen.

"Ik heb hier op u gewacht," zei Karwenna, "uw moeder was zo vriendelijk om me binnen te laten."

Harro scheen weer tot zichzelf te komen. "Goed," zei hij, "laten we naar mijn kamer gaan."

Hij ging voor, deed een deur open en liet Karwenna binnen. De kamer was niet erg groot, er stond een bed, dat niet was opgemaakt, een kast, die openstond, een koffer op de grond, een radio en platenspeler. Overal over de grond verspreid veel platen. Harro schoof ze opzij en wendde zich toen met een zucht tot Karwenna.

"Goed," zei hij, "wat is er aan de hand?"

"U bent afgehaald, heb ik gehoord, door Hans Potter en door Hilo Gluck?"

"U heeft mijn moeder dus toch uitgehoord?"

"Nee, het stond voor mij als een paal boven water dat die twee u op zouden zoeken, meteen toen ze bij mij vandaan kwamen zijn ze hier naartoe gegaan, om hulp te zoeken, raad en hulp."

"Ik begrijp het niet," zei Harro.

"Hebben ze u niet verteld dat ik ze mee naar het bureau heb genomen?"

"Ja, dat hebben ze verteld."

Harro wachtte, hij scheen niet bereid te zijn zelf het woord te nemen. Baarddragers, dacht Karwenna opeens verbitterd, ze verstoppen zich achter hun haren, je ziet hun gezichten niet.

"Ik zal u eerst eens een gedachtengang vertellen", zei Karwenna. "Ons laboratorium heeft vastgesteld dat de steen die bij Potter door het raam is gegooid, afkomstig is uit de Fortunastraat."

Harro verroerde zich niet. Hij staarde naar de grond.

"Bovendien heeft het lab vastgesteld dat de kogels uit hetzelfde wapen zijn afgevuurd, de kogel waarmee Wilke werd gedood en de twee kogels, die uit het plafond bij Potter zijn gehaald."

Harro bleef afwezig staan. Hij had zijn blik naar binnen gericht. Hij zwaaide een beetje, alsof hij moeite had zijn evenwicht te bewaren.

"Mag ik u mijn slotconclusie vertellen?" vroeg Karwenna. Hij wilde graag de stem van Harro horen.

"Ja, graag", zei Harro.

"Kunt u die zelf niet bedenken?" vroeg Karwenna.

"Nee, ik kan niets bedenken", zei Harro en Karwenna hoorde dat zijn stem mat klonk.

"Maar hoor nou eens," zei Karwenna, "de steen uit de Fortunastraat, nog geen honderd meter van de kelder vandaan, waar jullie elke dag oefenen."

"Ja en?" zei Harro.

Karwenna lachte. Harro had precies de woorden gebruikt die Karwenna had verwacht.

"U heeft die steen opgeraapt, meegenomen, u of een van uw mensen. U," zei Karwenna nu scherper, bent met uw mensen 's nachts bij Potter over het hek geklommen, heeft die steen gegooid en de schoten afgevuurd. Jullie voetsporen zijn gevonden in de tuin van Potter. Hilo zal wel verteld hebben hoe perfekt haar schoen in de afdruk paste."

"Ja, dat heeft ze verteld," antwoordde Harro en grijnsde opeens, "maar u vond die geschiedenis met die schoen zelf kennelijk ook niet erg overtuigend anders had u Hilo natuurlijk nooit laten gaan. Geen bewijs dus, die afdruk. Alle andere afdrukken die u gemaakt heeft, zijn waarschijnlijk ook geen bewijzen."

Karwenna glimlachte weer.

"Toch blijf ik bij mijn conclusie. U was het, die met minstens twee anderen waaronder een vrouw, bij Potter over het hek bent geklommen!"

Harro maakte een gebaar of hij wilde zeggen: Ik kan u niet tegenhouden.

Toch hield hij zijn blik strak op Karwenna gericht, alsof hij geen woord wilde missen.

"De schoten zijn afgevuurd met het moordwapen. Dus luidt de simpele conclusie: Wie bij Potter heeft geschoten, heeft ook Wilke doodgeschoten. Hij moet de moordenaar zijn."

Harro stond doodstil, maar Karwenna kon zijn spanning bijna lichamelijk voelen.

"Maar u heeft me een alibi gegeven voor de tijd rond acht

153

uuur. Voor uzelf, Ingo Wicker, Holger Stemp, Hilo Gluck."

Harro hield zijn adem in.

"Laten we aannemen dat ik u geloof. Wat is dan de conclusie?"

"Die vertelt u me vast wel."

"'s Nachts om twee uur bent u het geweest, om acht uur niet. U heeft 's nachts om twee uur het wapen gebruikt, waarmee Wilke om acht uur werd doodgeschoten. Dat betekent twee dingen: In de eerste plaats: U kent de moordenaar, want hij heeft u het wapen gegeven. Ten tweede roept het de vraag op: Waarom is die overval op Potter in scene gezet? Het antwoord is interessant: Omdat u de moordenaar, de moordenaar van acht uur, wilde helpen. U wilde de aandacht van hem afleiden, volkomen afleiden. U wilde dat hij helemaal buiten beschouwing bleef. Hoe kon u dat bereiken? Heel eenvoudig: U wilde dat de moordenaar 's nachts om twee uur voor de politie zichtbaar was en daarom niets te maken kon hebben met de overval en ook niet met de moord."

Harro kon niet voorkomen dat zijn wangen rood werden. Zijn voorhoofd werd vlekkerig, het leek alsof hij iets wilde zeggen. Hij had zijn mond al open, maar kon een kreet nog net binnenhouden.

"Ik moest dus zoeken naar iemand, die om twee uur 's nachts goed zichtbaar was voor de politie en daardoor onverdacht."

Karwenna pauzeerde nu, voor hij zacht, maar heel beslist zei: "Hans Potter."

Harro staarde Karwenna aan, toen draaide hij zich abrupt om, ging bij het raam staan en staarde naar buiten.

Karwenna praatte door, tegen de rug van de jongeman. "Ik had nu ook een verklaring voor het vreemde gedrag van de jongen. Hij bevindt zich sinds de nacht van de moord in een erg labiele toestand. Hij gedraagt zich, zoals de moordenaar zich

154

zou gedragen, een moordenaar, die niet klaar is met wat hij heeft gedaan."

Harro draaide zich abrupt om.

"Onzin," riep hij, "wat u daar zegt zijn klinkklare nonsens. Dat gelooft u toch zelf niet. Als u dat gelooft, waarom heeft u hem dan niet gearresteerd?"

"Dat ga ik doen. Ik moest eerst weten of hij een alibi heeft voor acht uur."

Harro aarzelde even, haalde een paar keer diep adem en zei toen met grote beslistheid: "Hij heeft er een."

"Heeft hij er een? Hij was niet thuis. Hij kwam tegen tienen, hevig ontdaan. Dat is geconstateerd."

"Hij heeft een alibi," herhaalde Harro. "U hoort toch wat ik zeg. Hij heeft er een."

"Geeft u het hem?" vroeg Karwenna.

"Ik? Ja, ik. En- en Wicker en Stemp en Hilo, we kunnen allemaal getuigen waar hij om acht uur was."

"In jullie kelder."

"Ja, hij repeteerde met ons. Hij gaf ons advies. Hij werkte met ons."

Harro zweeg, uitgeput. Zweet stond op zijn voorhoofd. Hij werd onrustig onder Karwenna's blik.

Langzaam zei Karwenna: "U wilt die jongen helpen. U kunt hem niet helpen. U helpt hem als u de reden voor deze daad geloofwaardig maakt. Dat is de enige manier die ik zie, als u hem wilt helpen."

Voor Harro kon antwoorden, schudde hij zijn hoofd een paar keer. "Nee, nee, nee, ik lieg niet. Hij was bij ons in de kelder. U trekt verkeerde conclusies. Uw fantasie speelt u parten."

Hij wrong zijn handen. "Alstublieft, doe niets."

Karwenna merkte dat Harro buiten zichzelf was. Harro scheen naar woorden te zoeken, vond ze niet, maakte daardoor een nog hulpelozer indruk.

"Arresteer hem niet," smeekte hij, "doe het niet alstublieft."

"Wilt u me niet helpen," vroeg Karwenna.

"Ik kan het niet," zei Harro, "hoe zou ik kunnen? Het is onmogelijk voor me. U beoordeelt de hele zaak verkeerd."

Hij werd nu boos, "het spijt me," riep hij uit, "van mij hoort u niets, niets, niets!"

Hij scheen er spijt van te hebben, dat hij zo uitviel, hij hief met een hulpeloos gebaar zijn handen in de hoogte alsof hij zeggen wilde: ik heb gezegd wat ik kon.

Op dat moment ging de deur open. Mevrouw Wensler stak haar hoofd om de deur. "Hoor je de telefoon niet?"

"Ik wil niet aan de telefoon. Ik kan nu niet."

"Ik heb gezegd, dat je bezoek hebt, maar ze stond erop."

"Goed, ik kom", zei Harro snel en liep de gang op. Langzaam volgde Karwenna hem.

Harro had de hoorn opgepakt, riep door de telefoon: "Een ogenblikje, even iemand gedag zeggen." Er werd kennelijk iets gezegd, gevraagd. Harro antwoordde ongeduldig: "Je hoort toch wat ik zeg. Een ogenblikje graag."

Hij liet de hoorn zakken, legde zijn hand erop, keek Karwenna aan: "Wat bent u van plan?"

Karwenna merkte dat Harro onder druk stond en nam daarom de tijd. Langzaam zei hij: "Ik ga u arresteren. Ik zal de officier van justitie vragen een arrestatiebevel uit te schrijven."

Harro stond als aan de grond genageld, badend in het zweet. Hij had nog steeds zijn hand op de hoorn. Zo bleef hij staan wachten tot Karwenna weg was.

VIII

De jongen kwam de trap af. Hij was lijkbleek. Hij liep als een slaapwandelaar.

Onderaan de trap stonden Karwenna, Henk en Potter.

Potter keek naar boven, riep de jongen toe: "Wat is er aan de hand, jongen? De politie wil je spreken. Waarom?"

Hans Potter gaf geen antwoord, hij bleef halverwege de trap staan, alsof hij niet verder kon.

Karwenna zag hoe de jongen er aan toe was, en hij voelde zich opgelucht. Zijn gevoel bevestigde hem: Hij is het.

Hij had een arrestatiebevel in zijn zak. Minks was volkomen verrast, had zich beklaagd: Waarom heb je me niet op de hoogte gehouden? Waarom heeft u me niet in kennis gesteld van de stappen die u ondernam? Hij had zich punt voor punt de situatie uit laten leggen en tenslotte enthousiast geknikt. Ja. Karwenna, had hij gezegd, ja. En eraan toegevoegd: Het is niet te geloven. Wat een prestatie dat u daarop bent gekomen. Hij had zijn uiterste best gedaan een goede indruk op Karwenna te maken.

Nu stond Karwenna met Henk in Potters villa. Hij keek naar de jongen, die met een wit gezicht verderliep, naar beneden kwam en tenslotte voor Karwenna bleef staan.

Karwenna aarzelde maar even, haalde toen het arrestatiebevel tevoorschijn en liet het Potter zien.

"Uw zoon, meneer Potter, is onder arrest wegens ernstige verdenking van moord op de procuratiehouder Franz Wilke!"

Het was alsof er een bom insloeg.

Potter verschoot van kleur, keek Karwenna ongelovig aan, vergat adem te halen en hapte als een vis naar lucht.

"Wat, wat?" riep hij, keek van de een naar de ander met opgetrokken wenkbrauwen en keek tenslotte naar zijn zoon, die er met gebogen hoofd bijstond en niet reageerde zoals Potter verwachtte dat hij zou reageren. Hij zag eruit als iemand die op instorten staat.

Henk liep naar de jongen toe, ondersteunde hem, hield hem vast. Henk voelde hem verslappen en was bang dat de jongen op de grond zou vallen, gewoon omdat zijn voeten hem niet meer wilden dragen.

Dat beeld scheen Potter meer te verschrikken dan de woorden van Karwenna. Hij draaide zich om: "Dat is toch niet waar. Mijn zoon zou.,.."

Hij kon niet verder spreken.

Hij viel uit tegen zijn zoon: "Zeg dat het niet waar is!" Maar Hans Potter was niet in staat om iets te zeggen, hij staarde zijn vader aan en er stonden opeens tranen in zijn ogen.

Het waren die tranen die Potter helemaal van zijn stuk brachten.

"In hemelsnaam," zei hij hulpeloos, "hoe komt u daarbij?"

"Toe Henk," zei Karwenna en beduidde hem te gaan. "Breng de jongen naar het bureau."

"Luister eens," Potter viel nu Karwenna aan. "U kunt mijn zoon niet arresteren, zonder mij, zijn vader, de reden te vertellen."

"Die heb ik u al verteld."

"Meneer," zei Potter snijdend, "u wilt toch niet beweren, dat mijn zoon Wilke heeft doodgeschoten. Waarom zou hij dat

158

doen? Ik heb er recht op, dat u me dat vertelt, waarop u uw verdenking baseert."

Henk was blijven staan en keek Karwenna aan.

"Ga maar, Henk," zei Karwenna, "ik kom wel na."

Henk bracht de jongen tot aan de deur. Toen klonk de stem
van Potter: "Halt!"

Henk draaide zich om.

"Hans," riep Potter met een krachtige stem: "Heb jij Wilke
doodgeschoten? Geef antwoord."

Maar de jongen kreeg een huilbui, hij snikte hevig en was niet
in staat om een antwoord te geven. Henk bracht de jongen naar
buiten.

Potter onderging nu een verschrikkelijke verandering.

Karwenna dacht later: Binnen een seconde heeft een man zijn
persoonlijkheid verloren.

"Kom mee," zei hij zacht. "Kom. Laten we naar mijn kamer
gaan."

Potter ging Karwenna voor, met knikkende knieën, zijn
armen opzij als een koorddanser. Hij deed de deur naar zijn
kamer open.

"Kom", zei hij met een zachte, toonloze stem, stond toen wat
wezenloos in zijn kamer, alsof hij niet meer in staat was te denken. Zijn ogen waren opeens bloeddoorlopen. Hij liet zich in
een stoel vallen.

Het duurde een hele poos voor hij enkele woorden kon uitbrengen.

"Goed," zei hij, "er zullen wel enkele feiten zijn, nietwaar?
Zonder feiten, zwaarwegende feiten, kunt u mijn zoon immers
niet arresteren."

Karwenna vertelde Potter de resultaten van het onderzoek.
Potter luisterde met gebogen hoofd, liet niet blijken wat hij:
ervan vond, gaf geen commentaar, hij hoorde alles zwijgend

aan.

Tenslotte keek hij op, lang nadat Karwenna zijn verhaal had beëindigd.

"Mijn god," fluisterde hij, "ik weet niet wat ik ervan moet denken, van alles wat u me daar vertelt," hij probeerde zijn stem kracht te geven, maar kon niet verhinderen dat hij daalde tot een fluistering. "Maar de jongen, ik hoef maar naar de jongen te kijken."

Potters ontzetting scheen nog groter te worden. Hij keek Karwenna met open mond aan.

"Wilke doodgeschoten?" fluisterde hij. "Hij heeft immers Wilke niet doodgeschoten, of heeft u uw versie opgegeven, dat die aanslag mij gold? Dat zou dan betekenen," zijn stem beefde, "dat hij mij dood wilde schieten, mijn zoon mij, mij, zijn vader?"

Hij staarde Karwenna aan. Hij was zijn houvast nu volkomen kwijt.

"Ja," zei Karwenna, "ik blijf nog bij mijn versie, dat de aanslag voor u bedoeld was."

Potter had Karwenna zo smekend aangekeken, alsof hij wilde dat Karwenna hoe dan ook iets anders zou zeggen.

Karwenna vervolgde: "Hoe was de verhouding tussen u en uw zoon?"

"Grote god," fluisterde Potter, "nu, vanuit dit punt bezien, heb ik een heel andere indruk van onze verhouding, een indruk die misschien veel reëler is."

Hij haalde diep adem: "Onze verhouding was niet bijzonder goed, er waren bepaalde spanningen."

"Wat voor spanningen?"

"Zijn voorliefde voor die musici, die ik geëngageerd had. Hij had niet in de gaten," zijn stem werd nu luider, kreeg de agressieve toon terug, "dat het onmogelijke lui waren, lui, waar je niets mee te maken zou moeten hebben!"

"Waarom zou je niets met ze te maken moeten hebben?"

"Goeie God," riep Potter en wond zich nu op, "het was toch puin, een heeft al eens in de gevangenis gezeten."

"Wicker, ik weet het."

"Die andere is analfabeet."

"Stemp."

"Die kan nog niet tot drie tellen. Die komen toch uit," woedend zocht Potter naar een vergelijking, "uit de goot."

Potter kwam weer tot leven, hij werd steeds woedender.

"Onbegrijpelijk genoeg voelde hij zich tot dat soort aangetrokken. Hij bracht zijn avonden door bij die lui, trok zich hun problemen aan. Ik heb vergeefs geprobeerd om hem tot verstandiger gedachten te brengen. Ik zei steeds tegen hem: Zie je dan niet wat voor lui het zijn. Met zulke mensen ga je niet om, die ga je uit de weg. Dat is een wereld waarin wij geen toegang hebben, ook geen toegang willen hebben. Het is tegen je goedesmaak als je je met dat soort inlaat."

Potter had zich opgewonden.

"Het was ziekelijk wat hij voor die lui voelde. Ze zijn niet normaal." "En daar ga je niet mee om. Is dat uw opvatting?"

"Ja, dat is mijn vaste overtuiging. Dacht u dat ik dit allemaal," hij wees om zich heen op de fraaie meubels, de schilderijen. "had kunnen verwezenlijken, zonder me tegelijkertijd hermetisch af te sluiten van alles wat onverzorgd en ongevormd is?"

"Ach," zei Karwenna, "zo'n café als de Black."

"Is puur een zaak, meer niet, alleen een zaak. Ik weet wat die lui willen, wat ze nodig hebben, ze krijgen wat ze willen hebben, als ze ervoor betalen."

"Ik begrijp het", zei Karwenna en vroeg: "Op dat punt kan zich tussen u en uw zoon een controverse ontwikkeld hebben. Is dat juist?"

"Ja, dat is juist. Ik zei u al, dat mijn zoon ook besmet is door die ziekte van de jeugd, die drang alles anders, beter, idealer te willen maken, daarmee de realiteit uit het oog verliezend. Ik heb met hem gepraat. Ik zei tegen hem: Laat die lui schieten. Het zijn dilettanten en ze zullen het ook altijd blijven. Ze zijn met iets bezig waar ze geen recht op hebben. Dat recht ligt in de begaving, alleen in de begaving."

"Hoe zat het met Hilo Gluck?"

"Ach," zei Potter, "u weet?" Hij ging meteen verder, begon te ijsberen. "Het is de schuld van dat meisje." Hij bleef staan en zuchtte diep: "Zijn eerste meisje, zijn eerste gevoelens. Dat kwam er ook nog bij."

Potter zakte nu weer in elkaar, keek hulpeloos naar Karwenna. "En nu een moordenaar?"

Terwijl hij daar zo hulpeloos midden in de kamer stond, kwamen zijn vrouw en Eva Wilke binnen. Helene Potter riep verschrikt uit: "Is er iets gebeurd?"

Potter draaide zich om en zei met een onherkenbare stem: "Gebeurd? Je vraagt wat er is gebeurd?" Hij nam een aanloopje naar de volgende zin: "Je zoon heeft Franz Wilke doodgeschoten."

Mevrouw Potter verroerde zich niet, ze kreeg een verbaasde uitdrukking op haar gezicht. De woorden waren niet tot haar doorgedrongen.

Alleen Eva Wilke werd doodsbleek.

Helene Potter had het nog steeds niet begrepen, keek naar Karwenna. Ze vroeg: "Wat zegt mijn man daar?"

"Ik zeg," schreeuwde Potter plotseling buiten zichzelf, "dat mijn zoon een moord heeft gepleegd." Hij wees naar Karwenna: "Deze meneer is het net komen vertellen. Ze hebben mijn zoon al meegenomen, hem gearresteerd."

Potter liep naar zijn vrouw toe, stond voor haar, zijn stem begaf het.

"Maar," fluisterde ze, brak haar zin af, kon de woorden nog steeds niet begrijpen.

"Kom, Helene", zei Potter opeens zacht, "kom, ik zal het je uitleggen. We hebben een kind verloren."

Hij nam zijn vrouw mee de kamer uit.

Eva Wilke, lijkbleek, wendde zich tot Karwenna.

Ze fluisterde: "Hans?"

"Ja", knikte Karwenna.

Eva Wilke ging zitten. Ze hield haar ogen strak op Karwenna gevestigd.

"Heeft mijn broer doodgeschoten?"

"Dat zal hem ten laste worden gelegd."

"Ja, heeft hij dan bekend? Heeft hij een bekentenis afgelegd?"

"Nee, hij heeft alleen maar gehuild."

"Gehuild?"

"Hij is volkomen ingestort."

"Maar hij heeft toch geen bekentenis afgelegd."

"Nee, dat niet. Maar hij heeft het ook niet ontkend."

Eva Wilke boog haar hoofd. Ze bleef doodstil voor zich uit zitten staren.

Potter kwam naar binnen gerend en riep: "Een advocaat, ik moet onmiddellijk mijn advocaat waarschuwen. Die jongen is niet toerekeningsvatbaar. Een zoon, die zijn vader wil vermoorden is beslist niet toerekeningsvatbaar."

IX

"U kunt de jongen niet verhoren," zei dokter Schneider. "Hij is volkomen ingestort."

Hij keek naar Karwenna, zijn gezicht had een grimmige uitdrukking gekregen, alsof hij de jongen tegen Karwenna moest beschermen.

"Die jongen is psychisch aan het eind van zijn latijn. Een verhoor zou onherstelbare schade aan kunnen richten."

"Juist", zei Karwenna.

"Juist", zei dokter Schneider nijdig. "Dat kind mag dan een moordenaar zijn, maar op het ogenblik is het een ziek mens, voor wie gevaar bestaat dat hij zijn verstand verliest."

Karwenna hief zijn handen. "Het is al goed, dokter, ik zal die jongen niet opeten."

"Ik ken jullie politiemannen," zei dokter Schneider, "jullie zijn alleen op succes uit. Jullie willen een zaak afsluiten en vergeten daarbij dat je zelf moordenaars kunt worden."

"Nou, nou", zei Karwenna.

"Ja, als jullie de jongen in deze toestand verhoren, brengen jullie hem om."

"Dat wil niemand," verzekerde Karwenna aarzelend, vroeg toen: "Wat denkt u van zijn toestand?"

"Sterke psychische belasting", bromde de dokter.

"Dat lijkt me voldoende," zei Karwenna.

Hij wierp nog een blik op de matglazen deur waarachter Hans Potter zojuist onderzocht was. Het witte kapje van een verpleegster was als een lichtvlek te zien achter het glas.

"Ik ga al", zei Karwenna. "U vertelt me wel wanneer ik de jongen kan ondervragen."

"Ja, ik vertel het u wel," antwoordde de dokter gemenelijk.

"Nog wat," zei Karwenna, "die jongen zou wel eens zelfmoord kunnen plegen."

Dokter Schneider lachte. "Moet u horen, dacht u dat we die jongen vannacht ook maar een seconde uit het oog lieten?"

"Ik wilde het alleen maar zeggen", zei Karwenna en liep weg.

Hij reed terug naar zijn bureau.

Hij had de bekentenis graag gehad, maar de jongen was er niet uit gekomen. Henk, die zich over de jongen had ontfermd, was helemaal radeloos geworden en rechtstreeks met hem naar de politiedokter gereden.

"Ik werd bang", had Henk zich tegenover Karwenna verontschuldigd.

"Het is wel goed", had die geantwoord en was zelf meteen naar de dokter gereden.

Nu kwam Karwenna weer op zijn bureau.

Zijn blik viel op Harro Wensler, die naast Henk stond, zich omdraaide en Karwenna aankeek.

Met een loerende blik, zoals Karwenna het later zelf uitdrukte.

Henk zei: "Hier is Harro Wensler."

Karwenna maakte een gebaar, beduidde Harro plaats te nemen, maar de jongeman bleef staan, schudde alleen maar zijn hoofd alsof hij wilde zeggen: Wat ik te zeggen heb, kan ook staand."

"U heeft het dus gedaan," begon Harro.

"Ja, ik heb die jongen gearresteerd."

"Heeft hij een bekentenis afgelegd?"

Weer iemand die naar de bekentenis vraagt.

165

"Nee," antwoordde hij, "maar iemand die zo huilt en snikt zegt voor mij "ja," duidelijk kun je het niet zeggen."

"Dan zal ik u van uw zelfverzekerdheid afhelpen."

"Hij heeft een alibi, wilt u zeggen."

"Ja dat wil ik zeggen. Ik ben hiernaar toe gekomen om dat te getuigen. Neemt u maar op."

"Dat Hans Potter om acht uur, ten tijde van de moord op Wilke, bij jullie in de kelder was."

"Ja, en dat verklaren onder ede."

"U, Wicker, Stemp en Hilo Gluck."

"Ja," zei Harro, die even geaarzeld had, hij knikte nog een keer. "Dat getuigen we."

Hij hief zijn rechterhand.

"U vergeet dat een rechter uw eed helemaal niet zal accepteren", zei Karwenna.

"Waarom niet?"

"Omdat u ook aangeklaagd bent. U wordt ervan beschuldigd de overval op Potters huis gepleegd te hebben. U kunt geen eed afleggen in uw eigen zaak."

Harro trok zijn wenkbrauwen op. Hij zag eruit als iemand die in een val is gelopen.

"Is dat waar?" vroeg hij en keek naar Henk, alsof Henk iemand was die je veel meer kon vertrouwen.

"Die twee zaken zijn niet los te koppelen", zei Henk nuchter.

"Nou goed," zei Harro, "kom dan maar met me mee. Ik zal u een getuige geven, die u wel zult geloven."

"Wie is het?"

"Een bewoner van het huis. Hij woont in de parterrewoning, vlak boven de kelder. De man was erg tolerant. Het gebruik van de kelder was afhankelijk van de toestemming van deze man."

"Hoe heet die man?"

"Het is een zekere Bender. Hij is schade-expert," hij corrigeerde zichzelf, "beëdigd taxateur bij autoschades."

Karwenna keek Harro doordringend aan.

Hoe kwam hij opeens aan zo'n getuige?

"Hoe oud is die man?"

"Een goede vijftig," grijnsde Harro, "hij ziet er heel vertrouwenwekkend uit."

Karwenna hoorde het sarcasme in zijn stem. "En die man kan getuigen."

"Dat Hans Potter bij ons in de kelder was, om acht uur."

"Hoezo kan hij dat getuigen?"

"Omdat hij naar ons heeft geluisterd," weer grijnsde hij. "Die man is dol op muziek."

Henk keek verbaasd naar Karwenna.

Wat zit daar achter? dacht Karwenna, er moet toch iets achter zitten.

"Goed," zei hij, "laten we gaan."

★

Bender deed de deur open. "Ha, Harro," zei hij.

Ze noemen elkaar bij de naam, registreerde Karwenna.

Harro stelde Karwenna en Henk voor. "Dit zijn twee mensen van de politie."

"Juist," zei de man zonder al te erg te schrikken en deed de deur verder open, "kom toch verder."

"We willen je niet lang ophouden," zei Harro vlug, "het gaat erom iets vast te stellen, iets wat jij kunt bevestigen."

"Maar daar hoeven we toch niet voor op de gang te staan." zei Bender. Deze man was door en door solide, zag Karwenna met een oogopslag. Een man met bretels en een degelijk buikje.

167

Een rustig gezicht, blauwe ogen, die Karwenna en Henk vergenoegd opnamen.

Bender bracht de heren in een woonkamer. Grijze vloerbedekking, twee enorme stoelen voor een mahoniehouten tv toestel. Aan de muren spreuken en familiefoto's.

Bender riep in de richting van een open keuken: "Wil je ons even alleen laten moeder."

Een wat oudere vrouw, kennelijk bezig met eten koken, keek even met een verhit gezichtje om de hoek.

Harro zei vlug: "Het duurt maar kort, moeder Bender. Het gaat niet over u."

Maar de vrouw wilde zich toch niet zo maar opzij laten zetten. Harro pakte haar echter bij de arm, draaide haar om en schoof haar de keuken weer in. Hij lachte erbij en kuste de oude vrouw op de wangen.

Toen stelde Karwenna zijn vragen, die Bender onmiddellijk beantwoordde. Ja, hij had de jongen gezien. Hoe laat? Ja, acht uur. Hij, Bender, was van half acht tot half negen in de kelder geweest, tot zijn vrouw hem naar boven had geroepen voor het eten.

Of hij, Bender, Hans Potter dan kende.

"Natuurlijk," zei Bender lachend, "ik ken hem heel goed. Hij heeft de band toch getraind."

Hij lachte en keek vergenoegd naar Harro: "Ik gebruik waarschijnlijk een voetbaluitdrukking, hè?" Hij wendde zich tot Karwenna, "maar daar leek het voor mij op: "Hij trainde de jongens, omdat hij degene was die het meeste verstand had van muziek."

Weer keek Bender naar Harro. "Sorry, Harro."

"Nee," antwoordde Harro, "je hebt gelijk. Hij heeft er echt het meeste verstand van van ons."

"Een prof," knikte Bender, "bespeelt ieder instrument."

Nog een keer wilde Henk zich ervan vergewissen dat het ook echt over Hans Potter ging. Hij haalde het paspoort tevoorschijn dat hij van Hans Potter had afgenomen en vroeg of Bender het over die jongen had."

Bender knikte: "Ja, die is het." Hij scheen te beseffen, dat zijn verklaring belangrijk was want hij bevestigde nog eens: "Ik ken hem heel goed. Ik heb hier een piano staan. De jonge Potter heeft vaak bij ons gespeeld. We hebben hier fantastische avonden gehad."

Karwenna voelde hoe de grond onder zijn voeten leek weg te zakken. Hij trok zijn wenkbrauwen op en staarde afwezig voor zich uit.

Bender wilde bier aanbieden, was al opgestaan, helemaal in voor een gezellige avond, met mensen die hij waardeerde, respecteerde. Nee, nee, dacht Karwenna, die man is niet overgehaald om te zeggen wat hij heeft gezegd.

Met een schok was het tot Karwenna doorgedrongen: Hans Potter was de moordenaar niet.

Harro zag hoe ontdaan Karwenna was en zei: "Til er niet al te zwaar aan. U heeft zich vergist. Ik zei toch al dat u zich vergist had. U geloofde me niet. Maar dat is uw goed recht."

Toch zag Karwenna geen triomf bij Harro. Harro's gezicht stond ernstig, vermoeid en triest. Karwenna zag iets van nerveusiteit.

Harro bleef hem aankijken. Hij maakte aanstalten om te vertrekken, stond op en zei een paar keer: "We zullen niet langer storen."

Maar daar was Bender het weer niet mee eens. Hij verheugde zich op een gezellige avond.

"Hebben jullie dan zo'n haast?" zei Bender en vertelde over Hans Potter, die zo'n aardige jongen was.

Maar Harro was blijven staan, zodat ook Bender tenslotte

169

maar opstond.

"Nou ja", zei hij. "U zult wel haast hebben. Hoewel ik graag wat met u had gebabbeld. Ik weet niet veel van de politie af, heb er nooit mee te maken gehad, behalve met de verkeerspolitie natuurlijk."

Hij lachte. "Aan de andere kant," hij knipoogde, "is het natuurlijk ook iets waar je trots op kunt zijn, nietwaar?"

Hij stond erop zijn bezoekers tot de deur te begeleiden. Mevrouw Bender stak haar hoofd weer even om de hoek van de keuken.

"We gaan alweer, moeder Bender," zei Harro. "Sorry voor de storing."

Ze liepen de straat op.

Harro zocht naar een sigaret, stak hem op, inhaleerde diep.

Karwenna vond, dat Harro eruit zag als iemand, die net een grote inspanning achter de rug heeft en nog helemaal uitgeput is.

"Het spijt me," zei Harro, "dat u afscheid heeft moeten nemen van een illusie."

"Dat geeft niet," antwoordde Karwenna, "ik ben er niet op uit om onder alle omstandigheden iemand tot dader te maken, maar om de werkelijkheid te vinden."

"Ik denk dat u het in de verkeerde hoek zoekt", zei Harro, "uw gedachtengang is verkeerd. Zo'n man als Potter heeft veel vijanden."

Hij zweeg, verdere ontboezemingen leken hem ja, te riskant dacht Karwenna. Het lijkt hem beter om zijn mond te houden.

"Kunnen we u thuisbrengen?" vroeg Karwenna.

"Dank u, ik loop liever," zei Harro, hij stak plotseling zijn hand uit naar Karwenna, en draaide zich om.

Karwenna en Henk liepen naar hun wagen.

Karwenna vroeg: "Wat doet hij?"

170

Henk keek in de achteruitkijkspiegel. "Hij staat er nog, kijkt ons na. "Nee," ging hij verder, "hij gaat terug naar het huis?"

"Terug naar het huis? Naar de binnenplaats?"

"Nee, het woonhuis."

Karwenna aarzelde even, startte toen de motor en reed weg.

Henk liet een paar minuten voorbij gaan, voor hij droog informeerde: "Wat nu?"

Karwenna zweeg haast verbeten.

"We zijn toch een beetje te vlug geweest, he? Of twijfel je aan dit alibi?"

"Nee", antwoordde Karwenna. "Nee, dat doe ik niet." Hij verhief zijn stem: "Maar geef me eens antwoord op deze vraag: Hoe komt het dat die jongen zo is ingestort, dat de dokter zegt dat hij niet verhoord kan worden? Ik ben pas gerust als ik daar een verklaring voor heb."

"Ik heb er geen verklaring voor", zei Henk, "ik zit er zelf ook de hele tijd over na te denken."

"Als hij niets met de moord te maken heeft, waarom huilt hij dan als een klein kind? Hij heeft niet eens gezegd: Nee, ik heb het niet gedaan. Of heb jij dat wel van hem gehoord?"

"Nee."

"Waarom doet hij dan zo?"

Ze reden zwijgend verder. Karwenna met gebogen hoofd, hij liet Henk rijden, die eveneens zijn mond hield.

171

X

Op het bureau bleef Karwenna zwijgen. Hij zat op een stoel voor zich uit te staren.

"Wat is er met Karwenna?" vroegen zijn collega's aan Henk.

Henk antwoordde: "Hij zit te wachten tot er een belletje gaat rinkelen."

Karwenna dacht na. Hij was vlak bij het geheim. Hij had het gevoel dat hij alleen maar zijn hand uit hoefde te steken. Minks kwam binnen. Hij stevende direkt op Karwenna af. Henk zag het en dacht: ach hemel.

"Zo," riep Minks, "we hebben de dader dus al te pakken. Gefeliciteerd. Heeft u de bekentenis?"

Karwenna stond op.

"Nee," zei hij, "geen bekentenis."

"Ja, maar?" stamelde de officier van justitie.

"De jongen is volledig ingestort", zei Karwenna nuchter.

"Dat is te begrijpen," zei Minks, "we hebben tenslotte te doen met een vadermoord."

Het woord vadermoord galmde in Karwenna na, hij verloor de scherpte uit zijn blik, alsof hij weer diep in gedachten verzonk.

"Denk u toch eens in," ging de officier verder, "wat dat betekent. Het betekent een misdaad begaan tegen een oerwet."

"Wat?" zei Karwenna plotseling spottend: "Oerwet? Over welke oerwet heeft u het? Volgens de oerwetten van de natuur zijn de vaders immers altijd vermoord."

Minks staarde hem verbluft aan. Gekwetst begreep hij dat Karwenna hem niet serieus nam en hij zei stijf: "Ik wil van u een duidelijke rapportage hoe de zaak ervoor staat."

"Niet slecht," zei Karwenna, "we bevinden ons in de laatste

172

fase. Ik zou bijna willen zeggen: Morgen heeft u de dader, wie het ook is."

"Ja maar, is het die jongen dan niet?"

"Nee, hij is het niet."

Nu werd Minks pas echt nieuwsgierig, maar Karwenna liet niets los. Mokkend vertrok hij. "Je werkt niet samen, Karwenna, hoewel je daartoe wel verplicht bent."

Henk zei: "Heb ik dat goed begrepen? Zei je: Morgen hebben we de dader?"

"Ja," zei Karwenna, "want er is maar een verklaring voor de toestand van de jongen. Hij kent de moordenaar."

"Hm", zei Henk toen: "Je hebt gelijk. Dat is de enige verklaring. Zullen we hem verhoren?"

"Nee, dat gaat nu niet. Ik kan niet tegen de voorschriften van de dokter in handelen."

"Wat doen we dan?"

"Kom," antwoordde Karwenna spontaan, "achter de bureaus vandaan. Daar schieten we niets mee op."

★

Ze reden weer weg. Henk aan het stuur, hij keek Karwenna aan: "Waar naar toe?"

"Wacht even," zei Karwenna.

Langzaam reed Henk de straat uit richting Briennerstraat. Hij wachtte geduldig op een woord van Karwenna.

"We kunnen een paar dingen doen, maar het gaat om de volgorde." Tenslotte slaakte hij een diepe zucht en zei: "Naar de Black."

Hij bleef met gebogen hoofd zitten, tot Henk stopte voor het

173

huis waaronder zich de Black bevond.

Het was tegen zeven uur 's avonds. Voor de ingang zag je de eerste groepjes jongelui. Ze droegen allemaal dezelfde grauwe kleding, een soort oorlogskleding, Blauwe stof, militaire jacks. Het leek of ze alle vrolijke kleuren wilden vermijden. Geen verschil tussen jongens en meisjes, ze droegen allemaal broeken, hadden allemaal lang haar.

Karwenna vroeg: "Is de Black nog dicht?"

Ze keken naar hem. Jonge gezichten, Stilte. Hun lach verdween. Het was niet opzettelijk, niet kwetsend bedoeld, het was alleen heel vanzelfsprekend.

Karwenna kreeg geen antwoord, liep met Henk over de binnenplaats de trap af.

"Grote god," fluisterde Henk, toen hij de ingang zag: "Is dat een openbare gelegenheid?"

"Ja."

"Het is net een afdaling in de onderwereld."

"Griekse mythologie?" grijnsde Karwenna.

Henk grijnsde terug. "Die sombere verhalen heb ik allemaal onthouden."

Het café was open, maar nog niet geopend. Er zaten of lagen; al een paar jongelui. Ze vormden al kleine groepjes, als kluwen, hier en daar. Ze gedroegen zich alsof ze zich hier thuis voelden.

Het kleine podium was nog leeg.

Een enkeling zat op de rand, keek naar zijn trompet, zat er rustig en afwezig starend bij.

"Is hij dood?" vroeg Henk.

Karwenna zocht de bedrijfsleider, sprak met een man die een rood windjack droeg. Die haalde Havanger uit een kelder ernaast.

"O," zei hij, "de politie weer?"

Hij lachte, stak Karwenna zijn hand toe.

"Een cola van het huis?"

Hij haalde twee flesjes tevoorschijn van onder de bar, opende ze en schonk twee glazen vol.

"Ik hoop dat uw bezoek geen vervelende reden heeft?"

"Nee, nee," zei Karwenna, "we hadden het laatst over Hans Potter, over het feit, dat hij hier nogal vaak was. U zei toen dat ook mevrouw Potter en Eva Wilke hier waren."

Havanger keek nu niet meer vrolijk. "Hoor eens," zei hij, "dat heb ik terloops gezegd. Is dat nu opeens zo belangrijk?" Hij vervolgde: "Ik vertelde u al, dat die dames hier stiekum waren en dat Potter het niet mag weten." Hij tikte op zijn borst.

"Ik zeg er ook niets van."

"Wees maar niet bang," zei Karwenna glimlachend.

Henk was stomverbaasd. "Wat?" riep hij uit: "Wat hoor ik, was mevrouw Potter hier, en Eva Wilke?"

"Een keer, twee keer. Uit belangstelling", zei Havanger en vertoonde tekenen van onrust.

"Ze zijn hier vaker geweest", zei Karwenna. "U heeft gezegd, dat ze hier tamelijk vaak kwamen. Vaak verkleed."

Havanger was duidelijk in verlegenheid gebracht. Hij keek onrustig van de een naar de ander.

"Hoe konden ze zich hier anders vertonen?"

"Wat was het voor soort verkleding?"

"Nou," Havanger haalde zijn schouders op, "Broeken, werkbroeken, windjacks, legerjacks, doeken, halsdoeken, hoofddoeken."

"Mevrouw Potter?" vroeg Henk verbijsterd.

Karwenna bleef geconcentreerd.

"Waar haalden ze die spullen vandaan? Ik neem niet aan dat mevrouw Potter zoiets in de klerenkast heeft."

"Nee, nee," Havanger zag er nu uit als iemand die bang is er steeds dieper in te raken.

"Ze kregen dat ergens."

"Waar vandaan?" vroeg Karwenna en zijn stem klonk nu scherp en ongeduldig.

"Weet ik het?"

"Ik neem aan, dat u weet waar vandaan. Daarom vraag ik het u."

"Haar zoon was er toch bij", Havanger keek hem geïrriteerd aan.

"Natuurljk", zei Henk, "Hans Potter. Wat was het dan? Een complot tegen zijn vader?"

"Dat was mijn rugdekking," verdedigde Havanger zich, "ik ben maar een employer, altijd met een been op straat. Ik dacht, zolang het een familieaangelegenheid is, gaat het me niets aan."

"Waar kwamen die kleren vandaan? Heeft Hans Potter ervoor gezorgd?"

"Ja, hij en niet hij, Harro zorgde ervoor, Wicker, Stemp, die hebben immers genoeg ouwe troep thuis."

"Ik constateer dus," zei Karwenna, "dat mevrouw Potter en Eva Wilke van Harro, van de hele groep kleren kregen, waarin ze hier naar toe konden gaan."

"Ik zei u toch al: Die vonden het veel te saai thuis."

Henk volgde het gesprek met steeds grotere interesse.

Karwenna praatte heel langzaam: "Die dames en de groep rond Harro Wensler kenden elkaar dus."

Havanger keek nu schichtig van de een naar de ander.

"Kenden elkaar?" Hij lachte en hield zich toen in.

Het leek of hij op het laatste moment iets had ingeslikt wat van grote betekenis kon zijn. Hij had nu een stugge uitdrukking op zijn gezicht. Hij begon wat glazen te verzetten.

"Kenden elkaar?" herhaalde Karwenna de zin en sprak hem net zo uit als Havanger had gedaan, op zo'n toon van: daar zou ik je nog veel meer van kunnen vertellen.

Zachtjes zei Karwenna: "Ik ben hier beroepshalve. Ik onderzoek een moord. De vragen die ik stel, stel ik niet privé."

"Ach," Havanger maakte een geïrriteerd gebaar, "ik had het kunnen weten, dat ik moeilijkheden zou krijgen." Hij keek op. "Wat wilt u weten?"

Hij scheen zich nu te willen beperken tot een korte beantwoording van de vragen.

Karwenna aarzelde. De halve zin, die Havanger had uitgesproken, kreeg een echo, werd sterker en veelzeggender.

"Was er een speciale relatie?" vroeg Karwenna.

"Ik zeg niets," zei Havanger verschrikt.

"Waren er speciale relaties?" vroeg Karwenna nog een keer en voegde er aan toe, "tussen," hij aarzelde, hij zag Harro voor zich, die al dagen zo ontdaan was geweest. Ontdaan? Geschokt!

Karwenna glimlachte, zag de blik van Havanger op zich gericht.

"Een speciale relatie tussen Harro Wensler en...? En wie?"

Havanger slikte. Hij hief zijn handen ten hemel. "Ik zeg niets," riep hij uit, "van mij zult u niets horen."

Eindelijk voelde Karwenna zoiets als opluchting. Er was dus iets. "Een speciale relatie tussen Harro Wensler en--en mevrouw Potter? Of Eva Wilke?"

"U hoort toch dat ik niks wil zeggen. Waarom ik?" stoof hij op, "er zijn mensen die dat veel beter kunnen. Hans Potter bijvoorbeeld of Harro zelf."

Harro zelf, dacht Karwenna. Dus toch Harro.

Havanger liet zijn nervositeit nu duidelijk blijken. "Begrijp me dan toch," zei hij klagend. "Ik ben hier in dienst. Ik ben van Potter afhankelijk. Zo gemakkelijk is het niet om vandaag de dag een baan te vinden."

"Ja, hoor eens," stoof Henk nu op, "ik denk, dat u wat weet, en daar komt u nu mee voor de dag. Of we nemen u mee."

177

"Aha," riep Havanger uit, "gaat dat zo?" Hij lachte woedend. "Ik weet, dat ik rechten heb. En van die rechten maak ik gebruik. Ik kan niet gedwongen worden iets te zeggen."

Karwenna hief bezwerend zijn hand.

"Al goed," zei hij, "wind u niet op. U heeft me al geholpen."

Karwenna zag dat de kelder vol begon te lopen. Steeds meer jongelui druppelden binnen, zwijgend, grauw. Het was als stijgend water: de grond werd steeds voller. Het gemompel zwelde aan. Grauwe gezichten in het halfduister. De trompettist had zijn instrument geheven, stootte wat schrille klanken uit, die begeleid werden door een algemeen gekreun.

"Kom", zei Karwenna. Hij verliet met Henk de kelder.

Henk zei: "Waarom gaan we weg? Die man weet iets. We moeten hem aan de praat krijgen."

Hij volgde Karwenna de binnenplaats op.

Henk was helemaal opgewonden. "Wat hebben we daar gehoord, riep hij uit: "Harro heeft een speciale verhouding met mevrouw Potter? Met Eva Wilke? Heb ik dat goed begrepen?"

"Ja, dat heb je goed begrepen", zei Karwenna. "Heb je in de gaten dat alles nu een betekenis begint te krijgen."

"Leg me dat eens uit", vroeg Henk.

"Denk eens aan Hans Potter. Als hij niet de moordenaar is, dan kent hij hem in ieder geval. Daar gaan we vanuit. Dat hij de moordenaar kent en dat die wetenschap hem kapot maakt, in huilen doet uitbarsten!"

"Zijn moeder dus?" zei Henk ademloos. "Zou het zijn moeder kunnen zijn, die."

"Niet verder praten," onderbrak Karwenna hem.

Henk mompelde: "Okay. Waar gaan we nu heen?"

Karwenna gaf geen antwoord, was in gedachten verzonken en werd pas weer wakker toen de auto stopte in de Fortunastraat.

"Nog een keer naar de kelder?" vroeg hij.

"Nee, niet naar de kelder. Ik bedoel getuige Bender."

"Denk je, dat hij gelogen heeft?"

"Nee, daar gaat het niet om," zei Karwenna en liep al met Henk naar het huis toe.

Bender deed zelf open. Zijn vergenoegde gezicht lichtte op. "Ah, daar zijn de heren weer. Harro is al weg."

Toch hield hij de deur uitnodigend open.

"Nog een vraag", zei Karwenna.

Bender lachte opgewekt. "Kom toch verder."

Hij ging hen voor naar de woonkamer, waar het televisietoestel al aanstond.

"Hier zijn de heren van de politie weer, moeder", zei Bender.

Mevrouw Bender stond op, een kleine, ronde vrouw, die er even goedmoedig uitzag als haar man.

"Ach", zei ze, stond op, keek Karwenna aan en daarna Henk. "Ik heb gehoord dat er iets verschrikkelijks is gebeurd."

Ze keek bezorgd en Karwenna vond haar meteen sympathiek.

"Een moord, hè?" zei mevrouw Bender.

"Ja, het gaat nog even om de tijd."

"Is er nog iets niet duidelijk?" vroeg Bender. "U informeerde toch naar Hans Potter?"

"Ja, u zei, dat hij hier was."

"Ja, dat was hij ook. Daar valt niet aan te twijfelen."

"Nee, ik twijfel er ook niet aan," zei Karwenna en lachte vriendelijk, "ik wilde alleen graag weten wat voor indruk die jongelui op u maakten."

Het gezicht van Bender lichtte weer op. Hij sprak kennelijk graag over de jongelui. Hij knikte al voor hij begon te praten.

"Aardige jongens," zei hij, "weet u," ging hij ijverig verder, "ik had eerst ernstige bezwaren toen de huismeester kwam vragen of de groep in de kelder mocht oefenen. Ik dacht: In hemelsnaam," hij lachte naar zijn vrouw. "Nietwaar, Rosa?" vroeg hij, "wat voor indruk hadden we, toen we ze zagen? We schrokken toch wel even, nietwaar?"

Mevrouw Bender lachte, knikte heftig. "Ja, dat is waar, maar ze zagen er ook zo vreselijk uit," ze verbeterde zichzelf: "Ik bedoel wat kleren betreft, qua uiterlijk. Je zou er gewoon van schrikken."

Bender zei: "Het is het anders zijn waar je niet aan gewend bent. De jongelui van tegenwoordig kleden zich anders, bewegen zich anders, praten anders. Ze hebben inderdaad zoiets als een eigen taal."

Mevrouw Bender luisterde vol aandacht naar haar man, ze knikte, giechelde even: "Sommige uitdrukkingen moesten ze gewoon voor ons vertalen."

"Maar toen merkten we dat ze heel aardig waren, dat het net zulke mensen zijn als wij, ook met hun problemen."

"Geen mens is slecht geboren," zei mevrouw Bender plotseling strijdvaardig, "maar ze worden vaak verkeerd begrepen."

Karwenna knikte haar toe, vriendelijk. "Hans Potter en Hilo nietwaar?"

Mevrouw Bender knikte. "O god," zei ze, "zijn het geen fantastische kinderen? Ik heb er met mijn man over gesproken, dat liefde tegenwoordig heel andere vormen heeft."

"Maar u zegt "liefde".

"Het was liefde, het is liefde. Duidelijk. Hans Potter en Hilo." Mevrouw Bender wendde zich tot haar man: "Herinner je je nog hoe stug ze in het begin was. Ze wilde niet. Pas later hebben we het kunnen verklaren." Ze keek Karwenna veelbetekenend aan: "Angst voor een gevoel. Ze zijn bang voor gevoelens, ze tonen ze niet. Ze doen alsof het iets onfatsoenlijks is."

"Ja," knikte Bender, "dat is waar. Ze tonen hun gevoelens

niet," hij lachte, "maar ze hebben ze wel, net als iedereen. En daar zal waarschijnlijk nooit iets aan veranderen."

"Harro?" vroeg Karwenna.

"Ook bij Harro niet," lachte Bender en toonde zijn sympathie alleen al bij het noemen van Harro's naam.

"Maar het is ook een bijzonder aantrekkelijke vrouw", zei mevrouw Bender en ze knikte heftig. "We dachten eerst: nou, die past helemaal niet bij hem. Maar toen kenden we hem nog te weinig en haar ook."

Henk hield zijn adem in en keek Karwenna aan.

Karwenna sprak heel langzaam. Nu ging het komen.

"Over wie heeft u het?" vroeg hij.

"Oh," mevrouw Bender sloeg haar hand voor haar mond en keek haar man aan, "klappen we nu niet uit de school?"

Ook Bender keek opeens zorgelijk.

"We hebben het recht niet om er over te praten."

"Heeft u het over mevrouw Potter," zei Karwenna.

"Wat?" vroeg Bender verbluft, "mevrouw Potter?"

Karwenna lachte. "Als u het niet over mevrouw Potter heeft, dan heeft u het over mevrouw Wilke."

"Jaja", mompelde Bender.

"Een heel knappe vrouw," zei mevrouw Bender nu alsof ze Eva Wilke in bescherming moest nemen, "en zij heeft gezien wat een prachtig mens Harro is."

Ze keek weer naar haar man, alsof ze hem wilde aansporen haar woorden te bevestigen.

"Ja," zei Bender, "dat is zo, een heel knappe vrouw. Ze heeft hier vaak gegeten, hier in de kamer, we hebben veel gepraat en hebben een heel goede indruk van haar."

Dus Eva Wilke, dacht Karwenna. De naam klonk in hem na: Eva Wilke, Eva Wilke.

Henk vroeg het nog eens speciaal: "Harro en Eva Wilke dus,

181

een liefdespaar, bedoelt u dat?"

Bender keek verschrikt naar Henk. "Daar wordt toch over gesproken", mompelde hij en keek Karwenna onderzoekend aan.

Karwenna zat in gedachten verzonken.

"Nog eens dat tijdstip, meneer Bender. Het was acht uur. U was in de kelder, luisterde."

"Ja, het was interessant om te horen wat Hans Potter zei. Je kon er een hoop van leren. Hij praatte over muziek, over de geest van de muziek. Ik luisterde graag naar hem."

"Wie waren er allemaal?"

"Ze waren er allemaal", antwoordde Bender.

Karwenna vroeg langzaam: "Hoe lang was u in de kelder?"

"Tot," hij dacht na, scheen zo exact mogelijk te willen antwoorden. "Ik geloof, dat het half negen was, niet veel later. Ik ben toen naar boven gegaan, omdat," hij brak plotseling zijn zin af, "nou ja, toen kwam mevrouw Wilke in de kelder en Harro vroeg me om naar boven te gaan."

Bender aarzelde, zei toen: "Ik weet natuurlijk dat u een bedoeling heeft met uw vragen. Ik probeer die bedoeling te begrijpen. Het valt me nu op, dat mevrouw Wilke erg nerveus was, toen ze in de kelder kwam."

"Zei ze iets?"

"Nee, ze kon niets zeggen. Ze was een beetje buiten adem. Ze liep naar Harro toe en omhelsde hem. Het was een beetje vreemde scene, dat valt me nu pas op."

Bender keek bezorgd naar Karwenna: "Is dit belangrijk voor u?"

XI

Het huis van Potter baadde in het volle licht van de buiten-verlichting.

Karwenna meldde zich bij de intercom. Onmiddellijk ging de zoemer. Het hek zwaaide automatisch open.

Potter stond onder het enorme afdak en keek zwijgend naar Karwenna.

"Allemaal nieuw," zei hij, "die lampen aan het huis, de mogelijkheid om het hek automatisch te openen."

Hij lachte wat onzeker, alsof hij wilde zeggen: misschien een overbodige vernieuwing.

Hij maakte een uitnodigend gebaar en volgde hen zwijgend en terneergeslagen.

In de salon stonden mevrouw Potter en Claudia op. De twee vrouwen keken erg bedrukt.

Mevrouw Potter riep: "Waar komt u voor? Waar is mijn zoon?"

"Hij wordt morgen vrijgelaten."

"Vrijgelaten?" riep Potter uit, "zei u vrijgelaten?"

"Ja, ik zei vrijgelaten."

"Wat heeft dat te betekenen?" riep Potter wild uit, "is hij onschuldig?"

"Ja, hij is onschuldig."

Mevrouw Potter kon geen woord uitbrengen. Ze strekte haar hand uit, hield zich vast aan Claudia, die naast haar kwam staan.

"Onschuldig?" fluisterde ze.

"Ja, hij was de moordenaar niet."

"Ja, heeft u de moordenaar dan?" vroeg Potter.

Boven aan de trap was Eva Wilke verschenen. Ze keek zwijgend naar beneden.

Karwenna had haar meteen gezien, keek haar aan.

"Ik vroeg of u de dader had?" riep hij uit.

Karwenna gaf geen antwoord en Potter volgde Karwenna's blik, zag Eva boven staan en riep tegen haar: "Moet je horen wat de kommissaris net heeft verteld: Hans wordt vrijgelaten."

"Natuurlijk wordt hij vrijgelaten," zei Eva Wilke.

"Zo natuurlijk vind ik dat niet," antwoordde Potter grimmig, "er komen wel een paar vragen bij me op, namelijk of het is toegestaan iemand die onschuldig is in een dergelijke afschuwelijke situatie te brengen. Die jongen was helemaal van de kaart." Hij wendde zich tot Karwenna: "Hoe gaat het met hem?"

"Hij bevindt zich onder medisch toezicht."

"Aha," zei Potter, "dat was dus nodig."

"Ja, dat was nodig. Uw zoon heeft een zenuwinzinking gehad."

"Een zenuwinzinking?" fluisterde mevrouw Potter.

"Ja, hij huilde, hield niet meer op met huilen. Hij was volkomen aan het eind van zijn latijn."

"En u heeft hem verhoord, toch verhoord?"

Karwenna beantwoordde de vraag niet, hij keek Eva Wilke aan: "Komt u niet naar beneden?"

Eva liep langzaam de trap af, tree voor tree. Een licht, onwezenlijk lachje op haar witte gezicht.

184

Potter en zijn vrouw en Claudia keken toe.

Eva Wilke stond nu voor Karwenna en Henk. Ze keek de mannen aan met een gezicht dat van alle spanning ontbloot was, het drukte alleen maar zachtheid uit.

"U heeft hem nog niet meegebracht?" vroeg Eva Wilke.

"Nee, nog niet."

De jonge vrouw zweeg even.

"Ik heb geprobeerd u te bereiken", ging ze toen verder.

"Mij?"

"Ja, maar op het bureau zeiden ze dat u onderweg was."

"Ja, we waren onderweg. We zijn in de Black geweest en daarna hebben we de Benders opgezocht."

"Ik begrijp er niets van," viel Potter hen in de rede, "waar hebben jullie het over?" Hij wendde zich nu tot Eva. "Heb jij de politie gebeld?"

"Waarom heb je dat gedaan?" vroeg mevrouw Potter.

Weer gaf Eva Wilke geen antwoord, ze keek Potter aan: "Kan ik met deze heren naar jouw kamer?"

"Waarom, waarom?" vroeg Potter en trok zijn wenkbrauwen op. Hij begreep dat er een soort verstandhouding tussen Karwenna en Eva was en dat er iets heel belangrijks stond te gebeuren.

"Ja, natuurlijk," antwoordde hij toen.

Hij liep naar de deur.

Eva Wilke was blijven staan. "Ewald," zei ze zacht, "ik zou graag alleen met de heren spreken."

"Alleen?"

Potter staarde haar nietbegrijpend aan en mompelde toen: "Ga je gang."

Eva liep langs hem heen de studeerkamer binnen. Ze droeg een grijze rok, zag er bijzonder slank en teer uit. Een grijze trui versterkte de indruk van kleurloosheid.

Ze deed de deur behoedzaam dicht, draaide zich toen om. Haar blik was afwezig. Ze bleef een poosje zwijgend staan, haalde nauwelijks adem en keek Karwenna toen lang aan.

Karwenna wachtte.

"U wilt weten waarom, nietwaar?"

Ze verwachtte kennelijk geen antwoord, vervolgde met zachte stem: "Daarvoor moet ik u eerst uitleggen hoe mijn leven is verlopen."

"We hebben alle tijd", zei Karwenna zacht.

"Onze ouders zijn vroeg gestorven, tegelijk, bij een verkeersongeluk. Ik was nog erg jong en mijn broer was vader en moeder tegelijk voor me. Ik was altijd erg gevoelig. Zonder zijn steun was ik verloren geweest. We waren vreselijk aan elkaar gehecht, zo sterk, dat andere menselijke relaties onvoorstelbaar waren. Voor mij, maar voor hem ook. Voor hem nog sterker. Die houding maakte mij onmogelijk contacten met andere mensen aan te knopen. Hij wilde het niet, verbood het me. Ik heb een paar keer geprobeerd andere mensen," ze verbeterde zichzelf, "andere mannen te ontmoeten," ze haalde haar schouders op, "hij joeg ze de deur uit, door zijn houding, ik was vrienden al kwijt nog voor ik ze had. Hij wilde niet dat er iets tussen ons kwam."

Haar stem had een hartstochtelijke klank gekregen.

"Tot ik Harro Wensler ontmoette."

Ze pauzeerde even, haalde diep adem. "En die wilde ik niet meer kwijt. Ik zei tegen mijn broer: "Hij is het. Hem wil ik. Ik wil hem helemaal, ik wil met hem trouwen."

Weer zweeg ze een tijdje.

"Mijn broer kende Harro, hij had hem immers geëngageerd, zag en hoorde hem spelen. Hij weigerde steeds, zei: "Die nooit."

Ze fluisterde: "Ik weet niet of u zich kunt voorstellen wat ik met mijn broer heb doorgemaakt. Ik heb gehuild, hem om

186

begrip gesmeekt, tegen hem gezegd, ik houd van die man, ik laat hem niet door jouw wegnemen. Hij zei: zolang ik leef, trouw je niet met zo'n vent. Ik zal alles doen om dat te verhinderen, alles."

Nu kon ze niet meer, haar krachten begaven het.

Henk wilde iets zeggen, maar Karwenna legde hem met een gebaar het zwijgen op.

Zachtjes praatte Eva verder, met gebogen hoofd: "Ik zag geen uitweg meer. Ik pakte de revolver die mijn broer in zijn nachtkastje naast het bed bewaart. Ik wilde een laatste gesprek met hem, maar toen ik hem zag, achter het bureau, wist ik, dat ik dat gesprek zou verliezen, hij was altijd sterker dan ik. Toen richtte ik de revolver en schoot."

De bekentenis, dacht Henk, eindelijk hebben we een eerlijke, echte bekentenis.

"Ga door," zei Karwenna.

"Toen hij op de grond viel, besefte ik dat ik iets vreselijks had gedaan. Ik nam een taxi en reed naar de Fortunastraat. Daar waren ze allemaal bij elkaar. Ik zei tegen hen, dat ik mijn broer had vermoord."

"Was Hans Potter er ook bij?"

"Ja, hij ook. Hij was er kapot van. Hij is meteen naar huis gegaan," ze haalde haar schouders op, "gewoon, om thuis te zijn. Ik ging ook naar huis, wachtte af wat er zou gebeuren. U weet, wat er verder gebeurde, Ewald Potter waarschuwde de politie. U haalde zelf mevrouw Potter op, om haar bij mij te brengen. Toen zei u dat er waarschijnlijk sprake was van een verwisseling, dat de aanslag eigenlijk voor Ewald Potter bedoeld was."

"Ja," knikte Karwenna, "dat was een fout van me. Vanaf dat moment ben ik in de verkeerde richting gaan denken." Hij keek op. "Wat ik zei, heeft Hans Potter gehoord en."

Hij zweeg.

Eva Wilke knikte. "Ja, hij heeft Harro opgebeld, gezegd dat de politie dat vermoeden had."

"Nu begrijp ik het. Harro zag daarin een kans om u te helpen."

"Ja, hij deed die overval. Ze gooiden een steen door het raam, schoten in het plafond."

"Met dezelfde revolver."

"Ja, met de revolver, die ik," ze aarzelde, "die ik had gebruikt."

Eva Wilke sloeg haar ogen neer. "Hans was er niet tegenop gewassen."

Karwenna knikte.

"U heeft gemerkt, dat hij van de kaart was," ging Eva Wilke verder, "en zocht daar tenslotte de oorzaak van."

Haar stem werd nog zachter. "Ik had geen kans," fluisterde ze, "je denkt, dat je ongedaan kan maken, wat je hebt gedaan." Ze schudde haar hoofd. "Ik weet nu, dat dat niet kan, dat een misdaad, een moord, alles verandert, gewoon alles."

★

Karwenna kwam thuis. Zijn vrouw zat in een stoel voor de televisie, die alleen nog maar sneeuwde. Ze was in slaap gevallen, ze sliep vast en werd niet wakker toen Karwenna binnenkwam.

Karwenna haalde een flesje bier uit de koelkast, deed het open en dronk zo uit de fles. Hij voelde zich niet opgelucht, niet tevreden. Hij probeerde de stemming waarin hij zich bevond te analyseren. Hij kwam op het woord leegte. Alleen nog maar leegte om hem heen. Alsof er een schoolbord was schoongeveegd. Alleen nog wat krijtvlekken als nevel op het zwarte vlak.

Helga was wakker geworden. Ze had zich niet bewogen, keek hem alleen met open ogen aan.

"En, is de zaak opgelost? Wie was het?" vroeg Helga matig geïnteresseerd.

"Het was de zuster. Ze heeft haar broer doodgeschoten, omdat hij niet wilde dat ze trouwde met de man van wie ze hield."

"Hemel," zei Helga. "Kan een broer zijn zus zoiets verbieden? En als hij het doet, moet zij hem dan meteen doodschieten?"

Tja, dacht Karwenna, moest ze dat?

Hij grijnsde. "Een uitbarsting van gevoelens. Moord is een explosie van opgekropte gevoelens. Het is net zoiets als een knoop losmaken met een zwaard. Je maakt hem niet los, je snijdt alleen maar alles door."

"Geef mij ook een slok", zei Helga, pakte de fles en dronk de rest van het bier op.

"Wat was er op de televisie?" vroeg Karwenna.

"Een documentaire over oerang-oetans. Een onderzoekster heeft twee jaar tussen de oerang oetans geleefd en experimenten gedaan."

"Was het interessant?"

"Ja, ze verzorgde de hele stam. Stel je voor," vertelde Helga enthousiast, "die dieren leefden heel vredig samen, maar die plotselinge rijkdom aan levensmiddelen."

"Rijkdom?"

"Ja, die onderzoekster gaf ze bananen, veel meer dan ze nodig hadden. Toen ontstond er onvrede. De dieren werden egoïstisch, hebberig, het moreel was zoek."

Karwenna haalde nog een flesje bier, ging zitten, ontspande zich.

Hij dacht opeens aan de Black, die zeker tot de laatste plek bezet zou zijn, hij stelde zich het donkere café voor, waar kinderen op de grond bij elkaar zaten, waar een paar jongelui muziek maakten, die geen muziek was, alleen wilde klanken, heftig uitgestoten klanken, kon je zeggen: klagend geschreeuw van apen?

De strandjutter

Het lijk werd in het park gevonden. De dode:
Georg Lindemann, directeur van een reclame-
bureau. Een man die mensen aanwerft om ze
daarna weer als produkten te verkopen. Een
cynicus, een tiran, een man met veel vijanden.
Karwenna bakent een kring van verdachte
personen af. In de eerste plaats is er Lindemanns
geliefde, het fotomodel Patricia. Zij had er alle
reden toe om Lindemann te haten en te
verachten. Met zijn dood ging er voor haar echter
ook een geldbron verloren...
Mevrouw Lindemann. Ze was op de hoogte van
de verhouding die haar man erop na hield. Een
moord uit jaloezie? Maar hoe kon ze dan met haar
rivale bevriend zijn?
Zijn zoon Udo. Hij had zijn vader ook gehaat. Nu
schijnt hij echter de enige te zijn die om hem
treurt...
Dan is er ook nog de strandjutter, Patricia's
vriend. Hij is werkeloos en droomt ervan om een
nieuw soort mens te creëren. Hij zwerft door de
straten van Schwabing op zoek naar 'zijn
strand'...

De Karwenna pockets elke 8 weken verkrijgbaar bij uw tijdschriftenhandelaar,
warenhuis en supermarkt.

De Kommissaris

Van dezelfde schrijver tevens verkrijgbaar in de serie De Kommissaris:

De zaak Quimper

De pers vond dit het geval van het jaar, per slot van rekening wordt er niet iedere dag een bekende schrijver vermoord.
Voor kommissaris Keller was dit de moeilijkste zaak, die hij ooit had behandeld.
Want bij het zoeken naar de moordenaar en het motief, stond Keller als het ware voor een afgrond.
De minder gevoelige Kommissaris zou zich, na het geval opgelost te hebben, tevreden in de handen hebben gewreven. Maar Keller schudde, toen de zaak afgesloten was, gedeprimeerd het hoofd.
Hij wist dat één naam hem zijn leven lang bij zou blijven: de naam van de man, die de dader niet was...

De kommissaris detective-romans zijn verkrijgbaar bij uw tijschriftenhandelaar, warenhuis en supermarkt.